語る教室

ジュゴンの骨からプラスチックへ

ものが語る教室

ジュゴンの骨からプラスチックへ

盛口 満　*Mitsuru Moriguchi*

岩波書店

目次

装画・本文イラスト＝盛口　満

プロローグ　受け継いでいくもの

名前は何？

「将来、自分に子ども……男の子ができたら、なんていう名前にしますか？」

前に立った、ノリがそんなふうに問いかける。

「ショウ！」「ソラだな」「ハルミチ」「ハールルーって呼びたいから、ハルキがいい」

ノリの「授業」を受けることになった学生たちは、口々に、そう答えている。

「センセイだったら、モトヤってつけます。ところで、みんなは、センセイの名前わかる？」

「元規《もとのり》」

「そう。センセイの家では、代々、男の子には「元」っていう漢字を一字つけるルールがあるんです。だから、センセイのお父さんは元弘《もとひろ》。おじいさんは元徳《もとのり》、ひいおじいさんは元八《もとはち》、さらにその前は元七《もとしち》」

「その前は元六《もとろく》？」

「わかっているのは元七までです。今日は、これから、センセイのおじいちゃん、元徳の体験した、戦争の話をします」

僕は沖縄本島・那覇市内にある、小さな私立大学、沖縄大学で教員をしている。沖縄大学は小さいながらも、創立六〇年を超える大学だ。「地域共創・未来共創の大学へ」が、大学憲章に掲げられた理念で、在校生の九割以上は地元・沖縄出身である。僕が所属しているのは初等教員養成課程のある学科。つまりは、小学校の教員を目指す学生が所属している学科だ。僕の担当は理科教育であるけれど、僕のゼミに登録する学生が、理科が得意だったり、理科に特別の興味をもっていたりするわけでは必ずしもない。例えば卒論のテーマを考えさせると、「虫嫌いの私が、どうやったら小学校で虫の授業ができるかを考えたい」なんていう学生がいたりする。さらには「平和教育を卒論のテーマにしたい」と言ったのは、四年生のノリだった。「戦争体験世代が次々に亡くなっていくでしょう。そうしたら、平和教育、どうやって継いでいったらいいのかなって思う。戦争を体験したことのない世代が、戦争のことを語れるのかって」

そんな問題意識で卒論のテーマを考えたいというノリに、数年前に亡くなったという、彼の祖父の歴史を紐解いてみたら、と僕は勧めた。ノリは祖父の歴史を親族から聞き集め(なかには九〇歳を超える、戦争体験者もいた)、文献資料にもあたった。どのように論文をまとめるか、何度か壁にぶつかった彼とやりとりを重ね、調べた結果を授業案としてつくり上げ、一学年下の三年のゼミ生相手に模擬授業をすることになり、この日を迎えたわけだった。

ノリはパワーポイントで一枚の写真をスクリーンに映した。一九四二(昭和一七)年、沖縄戦が始まる前に新築された家の前で写された家族の集合写真。ノリの祖父にあたる元徳は、一九三六(昭和一一)年、沖縄本島南部にある佐敷村《さしきそん》(現南城市)で、のちの七人兄弟姉妹の長男として生まれた。写されているのは元徳のほか、四一歳になる母親を筆頭に、元徳よりだいぶ年長の長女に加え、やはり元徳の姉にあたる二女と三女、そして三人の弟たちである。当時、彼ら・彼女らの父にあたる元八は、海南島(中国広東省の南にある)で従軍中であった。

「この写真から二年後、昭和一九(一九四四)年のこと。沖縄にも戦争が近づいてきます。それで、元八から家族に手紙が届くんですね。避難しなさいと。みんなだったら、どこに逃げる?」

「海外」「本土?」「無人島!」「無人島はダメでしょ」「じゃあ、県内の離島」「離島って、逆にヤバいんじゃない?」「あたしは、石垣に帰る(石垣島出身の学生が言った)」「疎開だっけ?」「疎開で沈んだ船があったよね? 何丸っていう名前だっけ?」「対馬丸《つしままる》だよ」

三年ゼミ生のリクトやカリンたちは、「戦争」をテーマにした授業でも、くったくがなく、思ったことをそのまま口にする。

「みんなは、沖縄本島には残らないの?」

「ああ、山原《やんばる》(山地の多い、沖縄本島北部のこと)に逃げる」

「実は、センセイの家族は三つに分かれました」

ノリが、戦争時にとられた、家族の行動を紹介した。ノリの祖父らは次のように分かれて行動したという。

本土に疎開(八歳の元徳と、二人の姉および二人の弟)
山原に疎開(元徳の母親と末の弟)
自宅に残る(元徳の祖母と長女)

「なんで、おばあちゃんは家に残ったんでしょうね」

「死ぬなら家と思った?」「家を守る?」「歩けなかったとか?」

今となっては、本当の理由ははっきりしていない。

「じゃあ、疎開って、なんでしたんだと思う?」と、ノリがまた問いかける。

「子どもを守るため?」

「死者を増やしたくないから?」

「邪魔になるからっていうのもあるんじゃないの?」

「そう。足手まといになる子どもを退去させ、軍の食糧事情を改善する戦略の一つだったともいわれている。それからすると、疎開には、恐ろしい面があるかもしれない。さっき、みんなの発言の中に、対馬丸……学童疎開の子どもたちを乗せた船が、潜水艦に沈められてしまったということがあったよね。実は佐敷の子どもたちが対馬丸に乗る予定だったんだ。でも、直前にキャンセルになった。これははっきりした理由がわからない。それで、元徳は、家族疎開っていって、自分たちで船を選んで乗って、本土に疎開したんだよ」

元徳らの乗った船は、無事、鹿児島に到着した。幼い兄弟だけの、宮崎での疎開生活が始まる。元徳は疎開中、一度、命を落としかけている。空襲警報が鳴ったものの、適当な壕に入ることができず、機銃掃射をあびせかけられたのだ。彼らが沖縄に戻ったのは、戦後になって、父・元八が宮崎まで彼らを迎えに来てくれたのちのこと。では、ほかの家族はどうなっただろうか。家に残った元徳の祖母や姉も無事だった。米軍上陸後すぐ、幸いにも捕虜になったことで、生きながらえることができたのだ。元徳の家族は、こうして「鉄の暴風」と呼ばれる沖縄戦の中、奇跡的に全員が生き残ることができた。そうした家族の歴史がノリの口から語られる。

「センセイのおじいちゃんは、うまく生き延びることができたから、やがて成長して、学校の先生になって働いて、定年後はずっと畑をしていました。もしおじいちゃんが対馬丸に乗っていたりとか、疎開していなかったり、疎開先で機銃掃射にあたっていたりしたら、今、こうして話をしているセンセイはここにはいません。みんなにも家族の歴史があります。みんなの家族が、沖縄戦と関わっていたかどうか、調べてみてください」

そんな話でノリは授業を終えた。

授業後、生徒役の学生も交えての討論会。

「あと、一〇年、二〇年したら、戦争体験者いなくなるから。そのとき、今、学校で行われている平和教育どうなっちゃうんだろうと思って、卒論で考えてみることにして、こんな授業をしました」

ノリが、授業の目的を三年生に語る。

「あたしたちの代は、まだ戦争体験を直接聞けている世代だよね。でも、これからの小学生は、そうした話を聞けないから、戦争に実感がわかないかも」

三年生の一人、石垣から来たミレイがそう言う。

「でもね、みんなは、「私は直接、戦争の話を聞いたことがある」っていう話ができるんじゃないかな」

ミレイの話を受けて、そう僕は言った。

「昭和何年っていう紹介があったけど、西暦のほうがわかりやすいんじゃないかな」

別の学生の発言に、なるほどと思う。昭和生まれの僕には気がつかなかった視点だ。

「それよりも、〇〇年前と言ったほうが、もっとわかりやすいかも」

「授業を聞いていて、アーって思ったのは、おじいちゃんは死にかけたことがあったから、もし、そこで死んでいたら、センセイはここにいなかったかもって、言ったところ」

「戦後の焼け野原になった風景の写真とかも、資料として使ったほうがいいんじゃないかな。子どもたちに、戦争で沖縄がどんなふうになったか、伝わると思う」

「実際に、小学校でこの授業をするんだとしたら、疎開の話をするときに、子どもたちでグループをつくって、例えばこのグループだけで船に乗っていって、そこで生活をしたんだよって話をすると、もっと自分のこととして考えられるかも」

「対馬丸の話って、小学校のときに聞いたことがあるけど、内容を覚えてない。でも、俺のおばあちゃん、対馬丸と別の船に乗って疎開したんだけど、港を離れるときに岸でみんなが振っていた旗の音、まだ耳の中に残ってるって言ってた……」

やりとりは、活発に続いた。

家族の歴史

授業後の、ノリと三年生のやりとりを聞いて、思い出したことがあった。そこで、その場をぬけ、隣の研究室に入り、積み上げられた段ボールの中から一冊の手製の本と、二枚の写真を抜き出し、場に戻る。

「今日のノリの授業は、平和教育を自分事として語る、聞くということのヒントを、家族の歴史に探ったということなんだけど、ちょうど、この前、実家に帰って、こんなものを見つけたんだ」

僕はそう言って、学生たちに、まず一枚の写真を見せた。

「外国の男の人?」

「いや、彫りは深いけど……日本人で、女性。これ、僕のばあちゃん。それで、こっちが僕の父親」

父方の祖母は、女性としてはちょっといかめしい顔つきをしている。実際、頑固者だった。一方、父は温厚だった。それでも二枚の写真を並べると、目鼻立ちがよく似ている。さすがは親子だ。ところで、僕は、この父方の祖母に、三回ぐらいしか会った記憶がない。祖母は九〇を超える長寿を全うしたのだけれど。

「僕の家族でいうと、父もばあちゃんも戦争体験のある世代だ。戦時中は、一時、満州にいたこともあったんだ。ところで、僕はじいちゃんについては、写真も見たことがない。どうも満州にいたころ、じいちゃんが浮気をしたとかで、離婚したんだって。この前、実家を整理したら、写真だけじゃなくて、ばあちゃんが自分の体験を私小説にした手づくりの本が出てきて、その中に浮気の話とか出てきてた」

僕が学生たちに祖母の書いた本を見せると、『明日はまた来る』という表題に、「あはは」と笑いがおこった(ばあちゃん、ごめん)。あまりに、「まんま」な表題だったから。

父の名はジョーという。漢字で書けば「襄」だ。

我が家の名前ルールは、漢字一文字である。僕も姉も、名前は漢字一文字だ。僕に子どもができたときも、名前は漢字一文字にした。かように、我が家にも歴史がある。

八〇歳で末期の大腸がんであることがわかり、八二歳で亡くなった父は、そのがんが見つかる八〇歳まで高校の教員をしていた。六〇歳で公立高校の定年を迎えたのち、化学教師としての腕をかわれて、私立高校の非常勤講師を二〇年にわたりつづけていたのだ。父には、化学教育に関する著作が何冊もある(盛口襄 一九八四、盛口襄 二〇〇三ほか)。化学クラブの指導の結果、何度か全国的な科学賞を受賞し、生徒と一緒にアメリカにまで研究発表に行っている。またその傍ら、大学の研究者とも交流し、死後になっても一篇の共著論文(盛口・広瀬 二〇一一)が発表されたりもしている。

ただし、教師になってすぐに化学に目覚めたわけではない。父は、祖父に連れられ渡った満州で目に入った、見慣れぬ植物がきっかけで、植物に興味をもつ。これが小学校三年のころの話だ。やがて、両親の離婚で、満州から東京に引き揚げることになる。戦時中ではあったけれど、中学生時代は植物採集も兼ねた登山(目的地は奥秩父だったそう)にはまる。

戦後すぐの、父の一家のことが、『明日はまた来る』の冒頭に書かれている。もちろん、このころ、すでに母子家庭となっている。

「戦後一時、東京世田谷の兄〔祖母の兄。引用者注、以下〔 〕で示す〕の家に長男〔父のこと〕・次男と共に寄寓し、私は丸の内の進駐軍民事検閲局に勤めていた。三人が三畳の住まいでは、朝、二人が寝ていると、早出の私は食事をする余地もないので弁当を持って行った」

父は一九五〇(昭和二五)年、大学を卒業したが、家がこんな有様であったので、すぐにでも職にありつく必要があった。ところが、生前の父から直接聞いた話によると、「ぼーっ」としていたら、求人先はあらかた他の学生に決まってしまい、ようやく一枚残っていた求人票が、北海道の定時制高校の教員募集であったのだとか。植物好き、登山好きであった若き父は、北海道と聞いて胸をときめかす。赴任先は、今では耳にすることもない、農繁期には授業がなく、農閑期にのみ授業があるという、季節制の定時制高校だった（当時の村立北海道妹背牛《もせうし》高校。のち全日制の道立商業高校となるが、二〇〇九年に閉校）。

農学部出身の父は、農業に関する科目の教員として採用されたが、これまた本人曰く、「農業の教員として落ちこぼれ」てしまう。幼いころから農作業の手伝いをしていた生徒のほうが、実技にかけては、父が足下にも及ばないほどの技術をもっていたからだ。もう一つは、野外の植物採集から始まった自然に対する興味が、栽培ということに、どうもしっくりなじまなかったようだ。やむなく父が選んだのが、肥料からつながった化学の教師への道だった。

「だから、僕は化学のアマチュアです」というのが、父が死ぬまで言い続けた、自身のスタンスである。そして、自分の教えている化学は、「モノの化学」だとも父は言う。ここで、父の書いた文章を直接引いてみよう。

モノとみると血が騒ぐので、化学といっても、いわば物質の博物学みたいなものです。体系より個別。物質と友だちづきあいをしたい。無理な実験で物質をいじめない。必要最小限で間に合わせる。その辺にあるものでまにあわせる（戦時暮らしのケチのせいもあります）。理論よりもモノを主役にしてしまう。モノのささやく声を聞こうとする。時に物質は思いがけないことをささやきます。

そして、「生き物狂いは息子にゆずった」と。

登山にはまっていた父

北海道で教員をしていた父は、趣味の詩作によって青森出身の母と出会い、結婚をした。ところが生まれた娘が病弱だった。もっと温暖な土地への転居が必要だと判断した父は、一一泊一二日の修学旅行の引率の最終日、抜け出して千葉県の教員採用試験を受けることにする（ただし、父の遺したアルバムには、日本アルプスの登山風景とともに、「半分は内地の山が恋しくて帰ってきた」という一言が、こっそりと書き添えられている）。

転居先は、房総半島の南端部、千葉県館山市だ。海辺に面した、ひなびた、この田舎町で僕は生まれた。そして、気がつくと、海辺で貝殻を拾い集めることに無性に喜びを見出すようになって生き物にどっぷりとはまりだし、やがて父と同じく理科教員への道（ただし、専門は生物学）を歩み、今に至っている。こう書くと、どうも父の影響がかなり濃い。ただ、僕は大学に入るころまでは、できれば教員にはなりたくないと思っていた。とくに化学の教員には……。

1 授業がすべて——モノに根差す

あこがれの博物学

年末。東京・池袋にある妻の実家で目覚めた僕は、一人早起きし、東京駅から高速バスに乗って、故郷・館山を目指した。バスで二時間の行程だ。

昨日の夜は、自由の森学園時代の夢を見たな、と思い返す。自由の森学園をやめて、もう二〇年近くがたつ。それでもときどき、夢を見る。大学に勤めるようになって、もう一〇年以上たつが、夢の中に出てくる学校は、自分の通学していた小中高でも、今勤めている大学でもなく、決まって自由の森学園だ。僕は大学を卒業後、埼玉の雑木林に囲まれたこの学校に、都合一五年間勤めていた。夢にこれだけ出てくるというのは、僕の中に深く食い込んだ体験がこの場であったということだ。自由の森学園は、僕にとって、折々に立ち返る場だ。

昨日の夢は、体育館の場面から始まっていた。教員、生徒、父母が集まっている集会の場。でも、全校規模の集会じゃない。これは何の集会だろう。目をおよがせると、M先生がいた。「これ、何の集まり?」。そう聞くと「〇〇のための集まり」とか、何とか。学年集会のようだ。それなら自分は関係ない、と体育館の外へ。廊下を歩きながら、今度は朝の会があるから、自分のクラスに行かなきゃいけないのに、こりゃあ遅刻だなと心配になる。それに職員会議の打ち合わせにも出ていない。出席簿も持っていない。副担任の先生が出席を取ってくれているかなあ、とますます心配になる。

ここで目が覚めた。

バスの中でそんな夢を思い返し、少しまどろむ。東京湾アクアラインを抜けたバスは、いつのまにか千葉県内の道路を走っていた。子どものころは賑やかだった思い出がある館山駅周辺は、今やどことなくさびしさが漂っている。駅でバスを降り、ここから歩いて三〇分ほどで実家だ。せっかくなので、海岸沿いの道を歩いて家へと向かう。駅から歩いて五分もかからずに、通称鏡ヶ浦と呼ばれる、波穏やかな館山湾に面した砂浜に出ることができる。

記憶力の悪い僕でも、うっすらと残っている、生き物との印象的な出会いの思い出がある。ある日、父の自転車の後ろに乗って出かけて行った渚で、「たくさんの貝殻が落ちている」ということに気づいて、夢中で拾い集めたという記憶だ。それはおそらく小学二年生のころではなかったかと思う。それから僕は、小中と、ずっと貝殻拾いにはまっていた。房総半島の先端に位置する館山は、黒潮の影響があり、海の中には多種多様な貝たちが棲みついている。そして、それを反映して、渚には色とりどりの貝殻が転がっている。ただし、内湾の砂浜よりも、磯を交えた砂浜のほうが多様な貝殻が拾えるので、駅近くのこの砂浜は、子ども時代はあまり貝殻拾いに来たことがなかった。

僕は貝殻に限らず、渚の拾いものが好きだ。もちろんこれは、僕の生き物好きが、貝殻拾いから始まっていることに由来する。加えて、渚の拾いものは、拾い上げたものがなんだかすぐにわからないところがおもしろい。これはなんだろうと何度も首をかしげているうちに、ある日、正体がわかる。さらに、拾い上げたものが、ほかのものと徐々に結びついていく。そうした探偵もどき……の作業が付随することが、渚の拾いものに興味をひかれるわけだ。これはまた、一つひとつ出会ったものに目を凝らし、記述し、潜んでいる謎を解くことに心をときめかす、博物学というまなざしのあり方に、僕がずっと憧れのような思いを抱きつづけているということとも、関係がある。

子どものころに館山で拾った貝殻

　家まで向かう道すがら、砂浜に落ちているものに目を凝らす。この日、僕が探しているのは貝殻ではなくて骨だった。あんまり落ちていない。駅から歩いてすぐのこの砂浜では、イルカやウミガメ、さらには深海魚の骨さえ拾ったことがあるのだけれど、海岸の拾いものは、天候や運しだいだ。どうも、この日はほとんど骨に出会えないよう。ただし、一つだけ背骨が転がっていた。魚のものだ。しかも、頭骨のすぐ後ろのところ。なんだろう。ずいぶんしっかりした骨だ。背骨だけで魚の種類をあてるのはかなり難しいが、この背骨は特徴がある。おそらくコイのものだと目星をつけた。海に流れ込む川から流されてきたものだろう。もう一つ。端っこが壊れた大きな骨。色もくすんでいるから、しばらく海中にあったものだろうか。こちらはウシの上腕骨だ。

砂浜が終わり、海辺の舗装道路を歩いて家に向かう。父が亡くなって一〇年、一人で家を守っていた母も、骨折を機に姉の住む新潟の施設に入所することになった。主が不在になってまだ数か月しかたっていないが、家の中に入ると、住人の「不在」ということの重みのようなものが、そこかしこから染み出てくるのを感じる。家をそのままにはしておけないので、姉と二人で荷物整理も始めている。整理途中の机の上に載せられたアルバムを開くと、若かりしころの父の写真が目に飛び込んでくる。登山中の写真。フラスコやらビーカーやらを前にした白衣の、まさに教員をしているときの写真。

この日は実家に泊まる予定だったので、昼間のうちに、もう少し骨を探しに海岸へ出かけることにする。風が強いが、自転車で小一時間ほどかかる外洋に面した海岸まで出かけることにした。向かい風の中、海岸に向かう。いつもそうなのだけれど、現地に着くまでは、妄想のようなものが思い浮かんで楽しくなる。でっかいクジラが打ち上げられていたらどうしようとか、謎の骨が見つかるんじゃないかとか。ところが、実際に海岸に着いてみると、てんで骨が目に入らない。これはボウズかと、半分あきらめかける。と、ようやくあった。鳥の腕の骨。長い。この長さからすると、コアホウドリの上腕骨だろう。一つ見つかると、そのすぐ近くにまた別の骨が転がっているのにも気づく。ウミガメの背甲《はいこう》の骨だ。ウミガメの甲羅の骨は、人間でいえば肋骨であり、一本一本がひらたくなった肋骨がくっつきあって甲羅を形成しているが、死ぬとこうしてバラバラになる。少し離れたところに、ウミガメの甲羅のへりの部分の骨も落ちている。ただ、一時間ほどかけて来たわりには、成果はこのぐらいだった。

海岸での骨拾いはあたりはずれが大きい。それでも、子どものころは貝殻ばかり目についていたのに、こうして探すと骨を見つけ出せている自分がいることに気づく（ほとんどの人は、骨を拾いに海岸へなんか行かないと思うけれど。今度、ためしにやってみてください）。さらに、全部が全部ではないけれど、拾い上げた骨の正体にある程度、目星がつく。

こうした骨との関わりは、未だに夢に見る、教員生活の始まりとなった自由の森学園時代にさかのぼる。

授業がすべて

ボタン一つでなんでもかなう世の中で、なんでいまさら面倒な原理を学ぶ必要があろうか。皮肉なことに、科学技術の異常な発達が子どもたちから理科を学ぶ意欲を殺ぎ取ってしまったのだ。いまの企業のシステムは、鵜の目鷹の目、ニーズを探す。人々が気づく前にほんの小さな利便まで掘り出し、要求を先取りして企業化してしまう。すべてが始まる前におぜん立てを終わっている。コンビニに行けば献立を考える前に今夜のメニューが決まってしまう。いうなれば「満足の過飽和」である。

亡くなった父の書斎には、さまざまな原稿の草稿やらメモなどが膨大に残されていた。その中にあった文章の一つには、こんなことが書かれている。

そうだよなあと思う。僕も父の影響で、学生時代は山登りをしていた。山に入れば、夜、テントの中でラジオをつけ、天気図を書き起こすのは日課だった。だから「テチューヘ(現ダリネゴルスク)」とか「モッポ(木浦)」とかの地名に聞き覚えがある。でも、今や僕だって、天気が気になればスマホやパソコンで雨雲レーダーを見てしまう。

人はなぜ学ぶのか。その答えは一つではないだろう。それでも、理科という分野でいえば、「身の回りの自然現象なんて、その原理を知らなくても生きていける」現状が、日々更新されてきている。こうした現状のなか、学びへのモチベーションが見つかりにくくなってきている。

自由の森学園が設立された理由も、この「人はなぜ学ぶのか」という根源的な問いと深い関わりがある。一九八五年。この本を書いている「今」から三五年前、自由の森学園は産声をあげた。この年、奇しくも僕は大学を卒業し、自由の森学園へと就職を果たした。この学園の理念は「授業がすべて」という言葉に集約されるものだった。はたまた、「子どもたちは学びたがっている」というフレーズも同時に発せられた。

本当は、「人はなぜ学ぶのか」という問いは必要がない。なぜなら、人は生得的に学びたがるものだから。もし、子どもたちが学びたがらない状況があるとしたら、それは子どもたちの学びを阻害する要因が学校の中にあるに違いない。だから、子どもたちの学びを阻害しない授業を学校の中に取り戻せば、学校が直面している問題の多くは、解決されるはずだ。

こんな仮説が、「授業がすべて」「子どもたちは学びたがっている」という言葉には含まれている。

「なんでこんなことを勉強しなくちゃならないの？」

声に出すとも出さずとも、多くの教育現場で、生徒や学生たちはこうした疑問をすべからく抱いてしまう。それを教員側にひっくり返して言えば「なぜそれを教えるのか」という問いが成り立つはずであるのだけれど、多くの教育現場では、この問いは不問に付されている。

大学を卒業した新米教師の僕が、自由の森学園に就職したとき、創立者であり、当時の校長だった遠藤豊さんから投げかけられたのが、「なぜそれを教えるのか」という課題だった。

試験に出るからでも、教科書に書いてあるからでも、将来受験に役立つからでもなく、あなたが自分の担当する科目を教える理由を、まず自分で考えて、生徒に示すこと。

それが、僕に求められたことだった。「そんなことを言われたって」と、正直、思う。僕は公立の小中高を普通に通り過ぎ、大学では生物学を専攻したものの、教員免許の取得に関する科目はオプションとして半ば腰かけ的に受講し、「なんのためにどんな授業をするのか」なんてことは考えたこともなく、教員になってしまったのだ。

それでも。門前の小僧……という言葉がある。僕は、父から理科の授業のあり方のようなものを、伝授されていた。それが自由の森学園での教員生活に、大きく役立つことになる。

もっとも、その生涯にわたって、父の授業を見たのは一度きりだ。これは、僕が自由の森学園を退職し、大学の教員になるまでの間、珊瑚舎スコーレという、那覇の街中《まちなか》にあるフリースクールで講師をしていたときの話だ。父が実験器具を担いで沖縄までやってきて、生徒たち（当時、一〇名ほどしかいなかった）に化学の授業をするのを、その場で見ていたのである。おもしろかったのが、授業後に最初に発した生徒の一言だった。「ゲッチョ（僕のあだ名）の授業に似ている」というのだ。これにはびっくりした。僕は父の授業をそれまで一度も見たことがなかったのに……と。直接、授業の場を見ていなくても、授業スタイルが似てしまっているというのは、いったいどういうことだろうか。

モノの化学

父はがんを宣告され、死に至るまでの二年、病と闘いながら、それまでの化学教育を振り返りまとめる本の執筆にとりかかっていた。残念ながら病の進行のため中途でストップし、刊行はおろか、下書き段階の、しかも全体の数分の一までで絶筆となった。その『化学をあなたに』と題された草稿の冒頭部分に書かれた文章を引いてみる。

もともと化学は「生身の人間が産み、生身の人間の生きる知恵」として育ったものだったはずです。

自力で考える足場のようなもの、どのような立場の人にも必要な、そして今、おそろしいほど空洞化している「日常の常識」ともいえましょう。それは数世代前の人なら普通にもっていた日常感覚といったほうがよいかもしれません。かつては年寄りの知恵として敬意を払われたものが投げ捨てられ、社会は便利・快適に傾斜しすぎて「人間の心」を見失いました。それを「科学技術の進歩」というなら、それはむしろ「科学技術の負の遺産」というべきと考えます。私はこの本の中でその「負の遺産」の克服を主張したいと思っています。それが『化学をあなたに』という本の題意です。

（中略）

「私はかわいいお嫁さんになる。だから原子・分子とか、化学式とか関係ない」

「マッチ？　もしかしてライターのこと？」

いいのでしょうか、テレビのお笑い番組が私たちの知識ベースで。昔は「おばあちゃんの知恵」が若い人に尊敬されていたのに。

「化学って何？」と聞かれたら、私なら「化学は物質」と答えるでしょう。「あなたは何者？」と聞かれ、「私は人間」と答えるように。

あらゆる生き物の中で、唯一、人間は「モノを使う動物」です。人間はハダカで生まれ、モノ（とコトバ）を使って「人間」に育っていきます。モノが使えることが人間の必須条件となっています。そこで人間と生まれた以上、モノ（とコトバ）について学ばざるを得ないわけです。

（中略）

形があって使える……が、モノの条件です。モノが壊れて（形を失って）使えなくなると、「モノの材料」が表に出ます。モノの材料＝物質としましょう。ビーカーというモノはガラスという物質でできている。ガラスは割と丈夫です。水に溶けません。熱や薬品にも強い。そういうことを知っているからビーカーに使ったのです。人間はモノを使う生き物です。モノを創るためには材料を選ばなくっちゃなりません。時には材料となる物質から作り出さなければなりません。そうした努力、発見が積み重なって、知識となり化学と呼ばれるようになりました。化学とはモノの材料となる物質をさがし、創り、改良するための知識・知恵なのです。

こう書かれた冒頭部から、少し内容が進んだところで、次のようにも書いている。

教えられたことは自信がもてぬが、自分で考えたことなら自信がもてる。でも、その自信をもつために、ふだんからモノと近しくすること。それが化学に強くなること。きらびやかに知識を詰めることじゃなく、貧しくもしたたかな実感をもってモノをみることさ。

繰り返しになるけれど、父は、「化学のアマチュア」の自分が教えている化学を一言で表せば「モノの化学」だと言っていた。モノにこだわる。それは、僕の授業スタイルと重なるところがある。例えば僕は教室によく、教材として骨を持ち込んだりするからだ。こんなスタンスこそ、門前の小僧よろしく、いつのまにか、父から僕が受け取ったものではないかと思う。

父は別の文章で、こんなことも書いている。

私は化学のアマです。アマは難しい新智識はもちません。いや、もてません。しかしアマだからこそ聴ける、生徒の声を聴く耳をもっています。というか、その耳を肥やすことを授業道だと思っています。

そう。僕も生徒たちの声を聴きながら、自分なりの理科……主に生物の授業を探求してきた。それはなんだか自分が苦労をして身につけた見方だというような思いがあったのだけれど、今になってこうして振り返ってみれば、これも、父から受け継いだ見方だったと思う。

教育の物語性

二二歳の春。大学を卒業したばかりの僕は、新緑に囲まれた、新設されたばかりの校舎の中で途方に暮れていた。「授業がすべて」をモットーとする自由の森学園は、設立されたばかりの中高一貫校だった。僕の担当は、中一の理科と高一の生物。試験や通知表や受験を目的としない授業がそこでは求められた。しかも、中学だけでなく、高校入試においても成績によって受験生を輪切りにしていなかったので、一つのクラスにさまざまな興味や関心、知識量の生徒たちが同居している学校だった(中学からの進級者に加え、高校からの入学者が半数以上いた)。

どんな授業をするのか。何をどう教えるのか。自分で選んで就職した学校ではあったけれど、そうしたことについて、あるはっきりした考えがもてていたわけではなかった。それでも、思い返せば、自由の森学園の教員採用試験の模擬授業でも、僕はモノを持ち込んだ授業をしていた。生物の授業だから、教室に持ち込んだモノは、当然、生き物だ。このときはさまざまな木の実を持ち込み、僕は授業をしたのだった。

だから、漠然とではあるけれど、教室の中にモノを持ち込む授業をしたいという思いはあった。ただ、自由の森学園は、このとき新設されたばかり。理科準備室にも、最低限の実験器具はあったけれど、生物標本などはまったくなく、がらんとしたスチール戸棚だけが準備室の中で幅をきかせていた。骨を取ろうと思ったのは、このときである。

父は、科教協（科学教育研究協議会）という理科教員の研究会が発行している『理科教室』という雑誌を購読していた。毎号、特集に合わせてさまざまな現場の教員たちの実践報告が載せられており、父もときおり寄稿している雑誌だった。その雑誌の巻頭写真で、動物の頭骨標本を教材に使うことが紹介されていたのを、どこかで見たような覚えがある。もう少しはっきりした記憶があるのは、僕が大学四年のときに、父の友人の生物教師の授業を見に行ったときのこと。イワタ先生という、のちのち父とならんで僕にとって理科教育の師となる先生のもとを訪ねた折、理科準備室のシンクに張られた水の中に沈められていたウシの頭骨を見たのである（水中で肉を腐らせて骨にする方法がある）。

骨の取り方もよく知らなかったのだけど、こうした記憶だけを頼りに、とにかくぶっつけ本番で初めてチャレンジしたのが、ブタの頭骨標本づくりだった。それ以後、交通事故で死んでいる道端のタヌキを拾ってきて骨にしたり、校内に棲みついているネコが捕まえ放り出したモグラを骨にしたりした。寿司屋さんからマグロの頭をもらい、生き物好きの生徒に声をかけて、鍋で煮て骨にした思い出もある。やがて、こうした僕の教材づくりに興味を示すようになった生徒たちが、三々五々、理科室に集まって、自分たちで骨を取り出すようになった。いつのまにか、その集団を「解剖団」とか「ホネホネ団」と呼ぶようにもなった。このころの話は、すでに本（『僕らが死体を拾うわけ』『骨の学校』）に書いたので、詳細に興味のある方は、それらの本を開いていただけたらと思う。

骨の取り方もよく知らなかったと書いた。僕が骨取りをし始めたときには、参考になるような本が見当たらなかったのだ。だから試行錯誤の連続だった。その試行錯誤に、理科室に集まった生徒たちも加わっていた。

最初はとにかく拾ってきた死体を解剖し、ある程度肉を取り除いたら鍋で煮て骨にしていたのだけれど、細かなパーツからなる手足の骨や、煮ると頭骨さえバラバラになってしまう魚は、手が出せない対象だった。また、小さなネズミや小鳥などの全身標本も、一度骨にしたら二度と組み立てられないだろうと躊躇するばかりだった。

それが、小さな動物の全身標本にタンパク質分解酵素を使う（より具体的には入れ歯用洗浄剤を利用する）方法の発見とか、手足の骨を組み立てる根気良さの発揮とか、魚の骨まで組み上げる魚に対する愛情の発露とか、僕にはとうてい備わっていない特技をそれぞれの生徒が駆使したおかげで、理科準備室に「骨部屋」とあだ名がつけられるまでに至ったのだった。何よりこうした過程を生徒たちとともに過ごせた経験が貴重だった。

ホネホネ団の生徒たちとの活動でできあがった標本は、授業の教材として活用した。クラスの生徒たちの要望があれば、授業の中でもタヌキの解剖をしたことがある。

授業の中で、できるだけ多くの生徒に、自然のおもしろさ、自然の重要性を伝えること。それが、何より大事なことだと僕は思っている。一方で、そうした授業をきっかけにして、骨やらなにやらに興味をもった生徒たちが生まれてくる。そして放課後、自主的に集まったそうした生徒たちと一緒に、自然のおもしろさを探求していく。授業と放課後。これが僕にとって、いわば自分なりの教育の両輪だった。

高校は、春になると毎年、新入生が入学し、三年すれば卒業していく。だから教育の場は繰返しの場だ。その一方で、教育の場にも二度と起こらないことというのが、同時にある。年を重ねると、もう「知らなかった自分」には戻れない。そして、「たまたま」その場に参集した者たちとの共同作業がなしえた結果は、再現することができない。

ホネホネ団の活動を振り返ると、活動に関わった、個々の生徒たちの顔がすぐに思い浮かぶ。あのとき、あの場に、彼または彼女がいなかったら、僕らと骨の関わりがどういうことになっていたか、ちょっと想像ができない。それは自由の森学園の教育という全体の話からすれば、些細なことかもしれないけれど。

例えば初代ホネホネ団団長、フーマ。彼女のあけっぴろげな性格が、多くの生徒を「解剖」「骨取り」という、一見「気味の悪い」作業に引き寄せた。

そしてミノル。彼の天才的な骨取りと組み立ての技があって、急激にホネホネ団の技術は発達した。北海道や九州まで遠征した成果であるアザラシやイルカの全身骨格は、おそらく今も自由の森学園の理科準備室に飾られているはずだ。

また、骨取り三人娘のなかの一人、ウタこそ、僕が現在も多用している入れ歯用洗浄剤による骨取り方法の糸口をつくった生徒だ。

ほかにもまだまだいる。これらの生徒が互いに影響しあい、引継ぎをしあい、自由の森学園の中に、骨取り文化のようなものをつくり上げていった。きわめて個別的で再現性のないこと、それが物語。教育における物語の重要性というものを、僕は骨を通じた生徒とのやりとりの中から、徐々に感じるようになった。

わかっているはずがわかっていない

一〇年余り前。自由の森学園を退職してからも、一〇年近くがたっていた。僕は沖縄から関西空港行きの飛行機に乗っていた。大阪市立自然史博物館で開催される、「ホネホネサミット」に参加するのが目的である。

自由の森学園のホネホネ団の卒業生の一人に、マキコがいる。これまたきわめて個性的な彼女は、ホネホネ団の活動を学外にまで拡張した。マキコは、自由の森学園を卒業後、大学で社会教育を専攻。そして大阪市立自然史博物館友の会の活動に関わる仕事を始める。マキコが博物館に勤めだして始めたのが、骨取りの活動だ。

博物館にはさまざまな資料が展示されているが、展示だけでなく、資料収集と保管は、博物館にとって大事な使命だ。動物園で死んでしまった動物は、標本として生まれ変わることで、死んでからも貴重な存在としてあり続けることができる。交通事故死した動物の死体が博物館に持ち込まれることもある。例えばタヌキなら、タヌキの標本はすでに所蔵されているからいりません、という対応もありえるかもしれないけれど、多くの標本が集まれば、同じタヌキでも個々の違いが見えてくる可能性があるかもしれない。また、将来、ある地域のタヌキの姿が見えなくなっても、標本があれば、その地域のタヌキはどのような毛色をしていたのかといった外見的な特徴や、DNA（遺伝子の本体）には何か特徴があるかなど、必要になった時点で、さまざまな情報を標本から得ることができる。ただし、現在、日本の博物館には、標本を作製、管理する専門の技師は不在だ。そのためマキコは、標本を作製し、博物館に収めるボランティア団体を立ち上げたのだ。その団体の名は「なにわホネホネ団」という。いまやマキコは、「なにわホネホネ団の団長」、縮めて「団長」の名で、その筋では通っている。

そんなマキコの活動から、大阪市立自然史博物館が立ち上げた企画が、ホネホネサミットだったのである。全国に散らばる骨好きが、一堂に会するイベントである。いや、この話を聞いたときは、全国にどのくらい骨好きがいるかなんて、想像もできなかったのだけれど。とにかく僕もイベントの通知を受けて、出展の申し込みをしていた。

大阪・長居公園の一角に、大阪市立自然史博物館はある。入り口を入ってすぐの博物館ホールには、マンモスとヘラジカの復元像が威風堂々と設置されている。そのあちこちに、机やいすやパネルが設置され、各骨団体のブースが設けられていた。

ホールに入ってすぐのブースで、まず立ち止まる。自由の森学園の「骨部屋」のブースだ。僕の退職後、しばらくして、卒業生のユフキが自由の森学園の理科実験助手に採用された。在学中、ホネホネ団の一員だった彼女は、骨部屋の管理を引き継ぎ、有志の生徒たちとコツコツと骨格標本をつくっていた。ブースに置かれたガラスケース内には、おもちゃの骨をかじるポージングで組み立てられたイヌの全身骨格が飾られている。僕が教員をしていたときのホネホネ団がつくっていた標本に比べると、なんという完成度の高さかと思う。このケースの周囲にはネズミやモグラ類の全身骨格標本のほか、ウマの脚の骨などが置かれている。

「これ、おもしろいの」

ユフキがとくに指さすのは、ムササビの乳飲み子の骨だ。

「まだ切歯《せっし》が赤くなってないの」

そう言われてみると、確かにそのとおり。齧歯類《げっしるい》の前歯（切歯ともいう）は上下左右一本ずつしかないが、この歯でいろいろなものを齧《かじ》るため、常生歯《じょうせいし》（一生涯にわたり伸び続ける歯）となっている。さらに齧歯類の多くの種では、切歯の前面が赤くなっている。これは歯のエナメル質の表面にさらに鉄分を含む層があるからで、歯をより丈夫にする意味合いがあると考えられる（また、切歯の裏面は普通の白い歯で、相対的に前面より軟らかいので、裏面が前面よりも早く削れることで、切歯の先端が鋭い形を保つことになる）。僕はこれまで、齧歯類の切歯が赤いのは生まれつきだと思っていたのだけれど、成獣では前面が赤くなっているムササビも、幼獣では歯全体が白い時期があることを知って、驚いた。

のっけから、かなり「濃い」展示を見せつけられた感があるが、なんとか気を取り直し、指定されたブースまでたどり着き、持ってきた展示物を並べてみる。しかし、なんとも貧弱に見える。僕が持ってきたのは、普段、教材として教室に持っていく骨のセットだ。大きめのプラスチック容器には、タヌキやキツネ、ムササビの頭骨、ブタの脚先（豚足）の骨などがしまわれている。これよりも小さな容器の中身はイヌとネコの頭骨だ。このほかに、ブタ、ウマの頭骨、ウシの角《つの》の骨、ウマの脚先の骨のバラバラ標本といったものも持ち込んできている。僕が持参したのは、どちらかというと、普通の動物たちの骨だ。骨の授業をしてみると、イヌやネコ、ブタといった、身近なはずの動物たちも、骨になっていると、その正体が生徒や子どもたちには容易にわからないものであることがわかる。

「わかっているはずがわかっていない」

「常識の穴を見つけて埋めるのが知恵の始まり」

それが「化学の原点」だ、と父は言っていた。これは生物学でも同様だ。だから、授業に持ち込む骨は、珍しい動物の骨よりも、「知っていると思っていた」動物の骨のほうが、かえって意外性があっておもしろい。

自分のブースの左隣を見ると、虫を使った骨取りの実演がある。ハラジロカツオブシムシという、乾いた動物質が大好きな虫を使い、肉つきの骨を乾燥させ、この虫に肉だけを食べさせて骨を取り出すという方法があるのだ。これだけでも、隣のブースは、かなりの「濃さ」だ。加えて、大型のトカゲやヘビの全身骨格も飾られている。ヘビは体が細長いうえ、その体の九割方に肋骨がある。それをキレイに骨だけにして展示するのは至難の業《わざ》であって、この展示はとんでもなくすごい。ブースの主らしき人に話を聞くと「もともと実験動物の研究で、骨の異常について調べていたら、あまりに骨の標本がないので、自分で取り始めることにしました」とのこと。このブースにいた若い人が、僕の書いた『骨の学校』を読みましたと言ってくれるが、僕のブースの展示内容と比較すると、ただただ、恥ずかしい。

向かいに位置するブースの男性は、動物の食べ痕や、フクロウなどの肉食の鳥が吐き戻したペリットという毛玉のような塊の中に含まれている骨の正体……という、きわめて渋い設定の展示をしている。

右隣は、大学の博士課程に在籍しているナカムラ君のブースだ。大型表層魚のシイラの全身骨格や、トビウオの全身骨格が飾られていて、その美しさに驚嘆する。僕もシイラの頭骨(全身骨格など思いもよらない)やトビウオの全身骨格はつくったことがあるが、いずれも骨をバラバラにしないように、生《なま》の状態から肉を取り除くだけ取り除いて干したものなので、つくってしばらくすると骨の中から脂《あぶら》がにじんできて、全体がかなり茶色っぽくなっている。ところがナカムラ君の標本は、どこを見ても肉のカケラもついていないし、第一、骨が真っ白だ。話を聞くと、一度ゆでて脂を十分に抜いているという。ただ、魚の骨をゆでるということは、一度、完全に骨がばらけることも意味している。それをまた、全身分、組み立てたの? と、あらためて驚嘆。ナカムラ君も『骨の学校』を読みましたと言ってくれるので、これまた、ただただ恥ずかしくなって

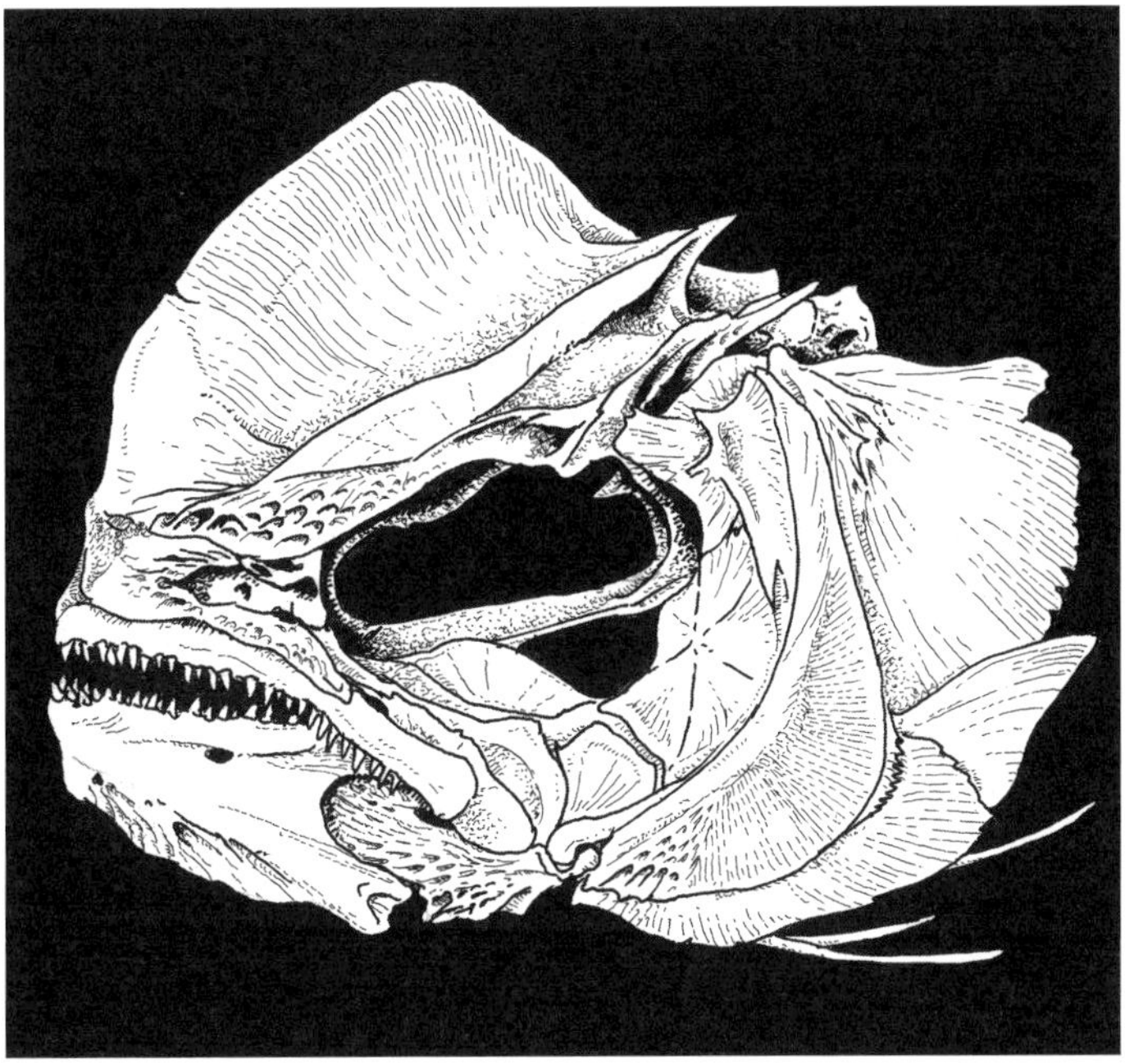

シイラの頭骨

しまう。

ホールの奥のほうには、やはり自由の森学園のホネホネ団出身で、大学で人類学を専攻し、狩猟採集民を研究テーマとしているミカコのブースがある。ミカコのフィールドはカナダだから、研究テーマとからんだビーバーの皮やらなにやらの展示だ。これらのブースは、全体からいえばごく一部にすぎなかった。全国にはずいぶんと骨好きがいるのだ。そして、骨格標本の作製レベルは、いずれも僕が思っていた以上のものばかりだった。

モノのリアルさ

ホネホネサミットの会場には、若い人たちの姿も見えた。しばらく前に知り合った、九州の骨取り高校生、アユミちゃんは、自前のブースをもっていて、そこにウミガメの骨を展示している。なかには、ホールのあちこちをほっつき歩いている若者もいた。宮城から来たマオ君という高校生は、地元産のサルやシカの頭骨を入れた手提げを持って歩き回っているので、かなり怪しい。現在、高校三年生で、大学進学を目指しているというので、どこに進学予定と聞くと、「カニも好きなので、南のほうの大学に行きたいです」なんて言う。

長野からやってきていた、小学五年生のアオキ君もすごかった。骨取りは小学二年生から始めたというのだ。しかも自作の骨格標本の写真を見せつつ、「アナグマなど、イタチ科の動物の頭骨の縫合線がうまく見えなくて、そのことを研究してみたい」なんて言うのだ。アオキ君が骨にはまったのは、化石が好きだったからなのだそう。「化石をやるなら、骨を勉強しなさい」と専門家にアドバイスをしてもらったのが、骨取りのきっかけだ。

彼の母親が、彼に協力している様も、なんだかおかしかった。本当は骨取りなんていやだったのに、息子につき合ううちに、なんだか自分でもおもしろくなってきて、という感じなのだ。アオキ君が処理した骨の写真を撮るためにデジカメを扱うのを見て、お母さんが助力を申し出たのが骨とのつき合い始めとのこと。骨を処理した臭い手で、デジカメに触れてほしくなかったから、撮影係を買って出たそうなのだけど。

「骨取り、臭いこともあるけど、それも大事かなって。骨を取っている過程も大事かなって」

アオキ君の一言に、うなずいてしまう。モノはリアルだ。死体は状態によってほとんど臭くないこともあれば、とっても臭いこともある。でも、骨を手にしようとしたら、そのニオイも含めて扱う対象だ。

「最近、この子の弟が標本つくると言い出して、おまえもか……って思ったんですけど」

こんなことをお母さんが言うので、吹き出しかけてしまう。

「本当は、弟は「生き物係」で、僕が「死に物係」だったんだけど」

アオキ君がこんなことを言うので、さすがに笑ってしまった。「死に物係」っていうネーミング、初めて聞いた。

自由の森学園の死に物係・ホネホネ団でマキコと同期だったのが、夏休みにヒッチハイクで出かけ、海岸でイルカやアザラシの死体を拾っては学校に送りつけ、異臭騒ぎを起こしたミノルである。ミノルは高校を卒業後、ドイツに渡って標本士の資格を取り、現地の博物館で働き始めた。そのミノルが、ホネホネサミットの講演者として、博物館の同僚であるヤン共々、ドイツから招かれていた。ミノルとヤンの講演では、ペンギンを例にして、骨格標本のつくり方がパワーポイントで示された。とにかくすごい。というより、博物館における本格的な骨取りは、僕らのやっている骨取りとはまったく別物だということがわかった。

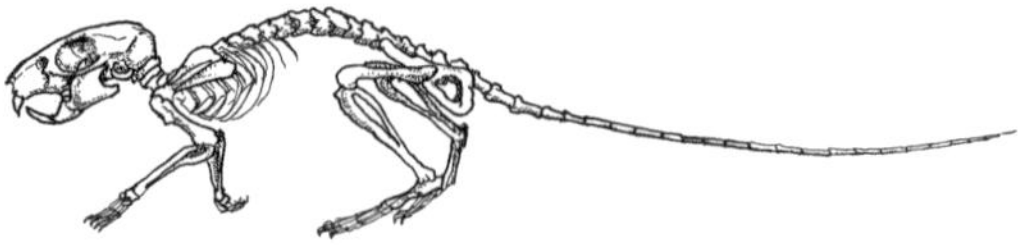

オキナワハツカネズミの骨格標本.
入れ歯用洗浄剤を利用してつくる

ミノルが標本士として勤めている博物館の骨取りは、おおざっぱに言って、次のとおりだ。骨格標本となる動物の死体は、おおまかに除肉をしたあと、さまざまな溶剤を溶かした液でていねいに血抜きされ、軽くゆでたあと、タンパク質分解酵素のパパインを使って肉を溶かして除肉する。僕らはホネホネ団の活動において、基本的に徹底的にゆでて肉を軟らかくして骨から取り除く方法を採っていた。博物館でこの方法を採らないのは、煮すぎると骨が劣化するためだという。また、骨取りにおいて、一番、手間とお金がかかるのは、骨からの脱脂であるという。その言葉どおり、パワポで示されたのは、高価で専門的な機械を使用し、扱うのが少々やっかいな特殊な薬品を用いて、骨から完璧に脂を抜くという手法だった。これは博物館の場合、いかに完全な状態で、長期にわたって標本を残すことができるかということが、第一義であるからだ。これと同じことをやるのは、個人では無理なことだ。

講演が終わって、再びホールに戻る。ミノルの話を聴くと、博物館における骨取りと、自分のやってきた骨取りとは根本的に異質なものだと思う。ホールの中を見渡したとき目に入る、シイラの全身骨格や大蛇の全身骨格を見ると、これまた自分の骨取りはなんという未熟な技かと思う。では、自分と骨との関わりは何なのかと問わざるを得ない。

とあるブース。化石屋さんの学芸員を中心に、アマも交えた骨取り集団の活動が紹介されている。その活動に関わっている高校生と話をする。

「まだ、どんなふうに骨を研究していいかわからないんですけど、センセイは壁にあたったことはありませんか？」

そう問われた。しょっちゅう壁だらけだ。「今も迷っているよ」と答えた。マキコがイベントの中心にいたこともあって、会場内のいろいろな人から、声をかけられる。会場の別の一人は、僕に「今まで拾ったなかで、一番うれしかった骨は何ですか？」と聞いてきた。

何だろう。「一番は何？」というのは、苦手な質問だ。何が一番かは、そのとき、そのときで変化してしまうから。

「今、答えるとしたら、この前拾ったジュゴンの骨がうれしかったですね。僕はどこかで人と関わりのある骨に興味があるので」

思わず、そんなふうに僕は答えていた。僕は、骨を取ることそのものよりも、骨からどんな物語が紡ぎ出せるかに興味があることを自覚した。

外骨格型の知

最近の生徒には、モノについての基本的な認識が、すっぽりと抜け落ちている、と父は「モノに始まる――理科嫌い・化学離れの病根を授業に探る」と題した文章でこぼしている。進学校の生徒で、表面的にはずいぶんと小難しい知識をもっているように見えても、例えば日常に目にするようなモノの実体が何か、わかっていないことがある。父は、こうした知のあり方を「外骨格型」と名づけている。父は非常勤講師をしていた私立高校で、毎年、化学の授業の初めに、生徒たちに、どれだけモノを知っているかアンケートを取っていた。そしてその「アンケートの結果をみながら、これから又一年、外骨格型の武装を解除し、内骨格につくり替えるしんどい作業がつづくと覚悟する」と書く。

僕も、毎年、大学での理科教育の授業の初め、教壇に立つと、父と似たような思いを抱いてしまう。「まずは、魔法を解かなければ」と。父は武装解除が必要と書いているけれど、僕は、学生たちはある種の魔法をかけられているので、その解除が必要だと思っているということだ。「授業というのはタイクツなものだ」「理科の授業はなんだか、難しい」「虫は怖い」「骨なんて気持ち悪い」、そんな思い込みをするように、長い年月をかけ魔法をかけられてしまっていると。「理科の授業だって、おもしろい」「自然はおもしろい」と、そんな学生たちに思ってもらえるように、僕は、最初の授業のときに、骨を満載したザックを背負って教室に向かう。彼ら・彼女らにかけられた魔法を解くには、少し奇抜なぐらいの授業内容でなくては効果がないと思うから。

そのとき背負っていく骨は、時間をかけて自由の森学園時代から少しずつ集めた骨たちだ。

2 骨の教室——「魔法」を解く

身近な自然とはどこか？

大学の、理科教育に関する最初の授業。

「僕はゲッチョです。教員をあだ名で呼ぶことにあんまり慣れてない人もいるかもしれないけれど、よかったらゲッチョと呼んでね。このゲッチョというのは、僕の生まれ故郷、千葉県館山市でトカゲもカマキリも指す、方言のカマゲッチョから来てるよ」

こんな自己紹介から授業を始める。

「みんなは、これまで小中高と、理科を学んできたはずだよね。これからみんなが学ぶことは二つある。一つは自然を学ぶということ。今までの復習になるかもしれないけれど、わかっていなかったり、わかったつもりになっていたりしたことを、もう一度学び直してみる。学ぶことの二つ目は、自然の学び方・学ばせ方を学ぶ。つまり、理科の授業のやり方を学ぶということだ」

そんな話を続けた。では、自然とは何だろう。

僕の敬愛する写真家の星野道夫さんは、「自然には遠い自然と身近な自然という、二つの自然がある」という内容について書いた文章を遺している(八重山の唄者《ウタシャー》、安里《あさと》勇さんのCD『海人《ウミンチュー》』に寄せたライナーノーツ)。遠い自然とは、直接、その自然に触れ合うことができなくとも、そんな自然があることを知っているだけで、人生が豊かになる、そんな自然だと星野さんは文章の中で説明している。星野さんが遺したアラスカの自然を写した写真集を開くと、自分にとって、それが遠い自然なんだなと思う。一生、行くことはないかもしれないけれど、写真家・星野道夫が慈しみ、格闘した大自然がこの世の中に存在してくれてありがたい、と僕は思う。では、身近な自然とは何だろう。

「僕の息子が生まれて小さいとき、ああ、なるほどと思ったことがあってね。息子は朝、起きると、真っ先に言う言葉があるわけ。それが、「おっかあは?」という言葉。それで、母親が目に入ると、安心する。これを見て、子どもにとって、自分の次にまず認識する外の世界は、母親なんだなと思ったんだ。父親が認識されるようになるのは、ずいぶんあとだね。子どもは、まず母親を認識し、そこから少しずつ、外の世界に興味を広げていく。だから、身近って言った場合、その距離、範囲はどこまでなんだろうって思うんだ」

ここで、僕はセミのヌケガラを取り出し、学生たちに見せた。

「これ、モーモーって言っていた人、手をあげてくれる?」

教室の中で、ぱらぱらと手があがる。手をあげた少数の学生も、手をあげなかった多数の学生も、互いに、ちょっと不思議そうな顔をしている。かつては、地域ごとに、生き物たちにさまざまな名前がつけられていた。今、そうした方言名は、どんどん失われつつある。例えば、僕のあだ名の由来となったカマゲッチョという方言名も、僕よりもずっと年上の人たちしか、実際には使ったことはないだろう。さらに、方言名は、使用する範囲が限られた言葉だ。モーモーという、セミのヌケガラを指す方言名は、沖縄本島でも南部の限られた地域でしか使われていない言葉だ。だから、それ以外の地域出身の学生たちは「何それ？」という顔をするし、モーモーという言葉を使っていた地域出身の学生は、この状況を見て「これって、うちらの地域だけの言葉なの？」ということに初めて気づいて、愕然とした顔をする。

「これも、同じ例だよね」

僕は、そう言って、アルコールの入った瓶の中から、キノボリトカゲを取り出し、手のひらに載せて、机の間を回って見せる。いきなり液浸のキノボリトカゲを手に歩き回る教員を見て、女子学生のなかには、ぎょっとした顔つきをする者もいる。キノボリトカゲは、那覇市内の街中の公園でも見られる、割とポピュラーな爬虫類だ。そのため、沖縄では昔から子どもたちの遊び相手となり、地域ごとで、さまざまな呼び名を与えられていた。アタク、コーレーグス、ジューミー……例えば、同じ南風原《はえばる》町内でも字《あざ》が違うと呼び名にこれだけの違いがあるほど。学生たちも、僕がいくつかの方言名を紹介していくと、出身によって「ああ、その名前は聞いたことがある」という顔つきをそれぞれしている。なかには、グリーンバンバンという英語起源と思われる名前を使用している地域さえある。キノボリトカゲの呼び名の例でわかるのは、かつての沖縄では、字と呼ばれる集落単位ごとにでも、使用していた言語に違いがあったということだ。つまりは、身近な自然と言った場合、昔の沖縄の人々の認識でいえば、字単位の集落内の自然が身近な自然だということになる。実際、お年寄りに昔の自然利用の話を聞いていくと、本当に集落ごとに、自然利用の方法も違っていて驚かされる。

「でもね、身近というのは、単純に自分と空間的に近い距離にある自然とは限らない」

例えば、と一つのエピソードを紹介する。

「みんなは、沖縄の動物ってどんなものがいるって聞かれたら、なんて答える?」

「ヤンバルクイナ」「イリオモテヤマネコ」「ハブ」「マングースとか」

そんな答えが返ってくる。

「そうだよね。そんな動物たちの名前があがるよね。でも、ヤンバルクイナって、見たことある?」

学生たちがふるふると、首を横に振る。

「イリオモテヤマネコも、見たことなかったりするよね。だから、ヤンバルクイナやイリオモテヤマネコは、あんまり身近な生き物とはいえないよね。じゃあ、僕らにとって、身近な生き物って何だろう。うちの大学の近くに、中学校があるよね。だいぶ前だけど、この中学の一年生に、授業をすることになったんだ。それで中学生に聞いてみたわけ。普段、目にしている生き物って、どんなものがいるって。これ、五月ぐらいの授業だったんだけど、みんなは、中学生はどんな答えを返してきたと思う?」

沖縄大学は、那覇の街中にある。沖縄本島の中南部は、平坦地が多く、古くから人間によって開発された歴史がある。加えて太平洋戦争の地上戦に巻き込まれ、焦土と化した。さらに米軍の占領下での復興で、やや無秩序に町並みがつくり出された経緯がある。それと、毎年襲来する台風の被害を避けるために、早くから家屋はコンクリート化した。このようなこともあって、那覇の街中は緑地が少なく、コンクリの家屋ばかりが目に入る、かなり都市化の進んだ環境だ。こうした環境で、子どもたちが目にする生き物とは何か、ということであるわけ。

「全部で五つの生き物の名前を、中学生があげてくれたんだけど」

「イヌ?」

「そう、イヌは名前があがった」

「じゃあ、ネコ」

「そう。これで哺乳類終わり」

「ハト!」

正解。那覇市内は、東京のようにはカラスがいない(最近、徐々にその姿を見かけるようになってきているが)。ちなみにスズメもほとんど見かけない。代わりにキジバトやドバトが、よく見る鳥だ。

「鳥、終わり。次に虫」

「セミ?」

「まだ、五月だったんだ」

「じゃあ、ゴキブリ」

そう、ゴキブリ。沖縄本島の都市部でよく見るゴキブリは、南方系のワモンゴキブリだ。ワモンゴキブリは、家の中だけでなく、夜間、路上を歩いている姿もよく見る。

「もう一つ名前があがった生き物がいるんだけど、それは何だろう?」

「??」

「最後にあがった名前は、草だよ」

その答えに、みなが笑う。

「草というのがあがって、ああ、植物も生き物と思ってくれたんだ、というのがうれしかった。でも、草なんていう名前の植物はないよっていうことも、思ってしまったよ。これでね、気づいたことがあるわけ。街中には確かにあんまり生き物がいないよね。イヌとかネコとか。でも、それだけじゃない。例えば身近にいても、気づいてないってことがある。雑草が生えていても気づいてない。気づいたとしても、名前を知らないし、知らないことも気にならない。みんなも、大学構内に生えている雑草の名前、知らないでしょう?」

学生たちがうなずいている。さらに、学生たちに問題を出した。次にあげる動物の名前の共通点は何かという問題だ。

「ライオン」「キリン」「パンダ」「ウサギ」「リス」そして「ひよこ」。わかるだろうか。

これは、僕の息子が通っていた保育園のクラスの名前だ。

「このなかに、沖縄にいない動物いるよね。ライオンとかパンダとか。でも、子どもたちはライオンもパンダもみんな「知って」いる。本とかテレビとかの情報があるからね。雑草は身近にあっても、知らない。ライオンは身近にいなくても、知っている。情報のあるなしということでいえば、子どもたちにとって、ライオンのほうが身近なんだよね。だから、身近な自然って何かというのは、よく考えてみなくちゃいけない」

こんな前置きをしてから、僕は、実際に小学校でやっている授業をみんなにやってみせるよ、と話を続けた。

「身近な自然を学ぶっていう授業例をやってみようと思うけど、みんなは、さっき言ったように、自然の学び方・学ばせ方を学ばなきゃいけない。僕の授業のやり方を見て、次の三つの要素に気をつけてほしい」

そう言って、僕は板書をした。

授業の構造や教材に対する知識（知識　学ぶ）
問いの出し方、教具の使い方、間の取り方（技　まねる）

(　　　)（財産）

「授業の構造についての理解や、教材に対する知識は、みんながこれから自分の中に貯めていくこと。そして授業のすすめ方……例えばどんな標本を使うとか、その標本の見せ方とかは、「ああ、こんなふうにしたらいいんだ」と思ってまねることが大事。でももう一つ、括弧の中に、何が入るかわかる？　これは、「まねられなかったこと」というのが入るんだ。僕のやり方を見て、まねようとしてまねられなかったこと、学んでも学びきらなかったことが大事だということ。まねようとしてまねられず、自己流になったところが、みんなにとって、本当の財産になることなんだよ」

ホンモノを見せる

「これから、骨を使った授業をするよ。じゃあ、最初に見せるのは、これ」

そう言って、僕はザックの中から、木の枝を取り出して見せた。ただ、普通の木の枝ではない。皮がついていないし、両端が削られたようにとんがっている。

「これは、僕の友だちが、アメリカに行ったときに森の中で見つけて、拾って持ってきてくれたもの。普通の木だったら、わざわざ持って帰ってこないよね。これは、動物の食べ痕。いったい誰が食べた痕だと思う？　例えば、小学生だったら、どう答える？」

大学生には魔法がかけられていると書いた。例えば、動物の齧《かじ》った木の枝を見せて「誰が齧ったものだと思う?」と聞いても、なかなか答えが返ってこなかったりする。「教員に何か聞かれたとき、間違ったら大変だから黙っておく」という魔法がかけられているからだ。逆に、まだ魔法があまりかけられていない小学生、とくに低学年の子どもたちに同じ質問をしたら、口々に、いろいろな動物たちの名前があがる。だから、学生たちに対して「小学生だったら、なんと答えると思う?」と、多少でも答えやすくなるような聞き方をしたわけ。

「リス?」「クマ?」「ビーバー?」

ようやく、あれこれ、動物の名前があがる。

「小学生に質問をするとね、最初リスって言った子の答えを聞いて、もう、歯が鋭い動物っていうことが頭に残っちゃうのか、次の子はオオカミって言ったりしてね。ありとあらゆる動物の名前があがるよ。なかにはカブトムシって言った子もいたな」

それを聞いて、学生が笑う。それじゃあ、正解を絵に描くよ……。そう言って、思いきりマンガチックなビーバーの絵を黒板に描いた。僕の描いたかなりラフな絵を見て、学生がまた、あははと笑う。

「ビーバーって、木を齧り倒して、水辺に運んでダムをつくって、というのは聞いたことがあるよね。そこをすみかにするっていう。それだけじゃなくて、木を食べているわけ。この木も、皮がついていないでしょう? この皮の部分をビーバーが食べて、芯をぽいって捨てたんだよね。

それを友だちが拾ってきてくれた。ビーバーは、沖縄にいないから、実物を見たことがないと思うけど、この齧り痕を見ただけで、すごい歯をしてそうだということがわかるよね。人間はノコギリもナイフもあるから、木を削ることができるけれど、道具をもっていない動物は、全部、自分の体でやらなくちゃならない。ということはね、骨や歯を見ただけで、その動物が、どんなくらしをしているかわかるっていうことだよ」

そう言って、今度はザックの中からビニール袋を取り出した。中身は理科室にストックしてある、乾燥させたマテバシイのドングリだ。それを、学生一人ひとりに手渡して歩く。手渡された学生は、ドングリを耳元で振ってみたりしている。乾燥させてあるから、中身が収縮して、振ると音がしたりするのだ。

「これって、何?」

「ドングリ」……さすがに、これは、みんな答えをすぐ口にしてくれる。

「ところで、みんなはドングリ拾ったことある?」

首を横に振っている学生が、そこここに見える。先にも少し書いたけれど、沖縄本島の中南部には、ほとんどドングリをつける木が生えていない。そのため、ドングリの木の下で、ドングリを拾ったことがない学生も少なくない。これは、僕も沖縄大学で学生相手に授業をするようになって気づいたことだ。あるとき、学生に「ドングリを拾ったことがないのに、なんでこれがドングリだってわかるの?」と聞いてみたことがある。その答えは「『となりのトトロ』(宮崎駿監督のアニメ映画)で見た」というもの。思わず、深くうなずいてしまった。これまた、身近な自然とは何かを考え直す、恰好の例の一つだ。

「じゃあ、ドングリが好きな動物といえば?」

「リス!」……これまた、一斉に答えが返ってくる。

「そうだよね。でもね、みんなリスって見たことある?」

再び、首を横に振る学生たちの姿が見える。なんとなれば、沖縄本島にはリスがいないからだ。

「不思議じゃない? 沖縄ではドングリもなかなか拾えないし、リスもいないよね。なのに「ドングリが好きな動物は?」って聞くと、リスって返ってくる。沖縄の小学生に聞いても、おんなじなんだ。いったい、どこで知るんだろうね。さっき、うちの子の保育園のクラスの名前にリスってあったけど、そんな情報で、少しずつ、リスが身近なものって思うようになるのかな」

そう言いながら、僕はザックから細長い紙箱を取り出した。そこには「りっちゃん」と書かれている。箱をあけると、中からビニール袋に包まれた、まっすぐに体を伸ばしたリスの剝製(仮剝製と呼ばれるスタイル)が出てくる。博物館に展示されているものと違い、目にはガラスが入れられていないので、目の穴からは、中に詰めてある白い綿が見える。

「ちょっと、りっちゃんとお友だちになってみよう。なでてごらん、気持ちがいいから」

机の間の通路を歩きながら、座っている学生たちにリスを差し出す。のけぞる学生もいれば、おそるおそる毛皮を触って「気持ちいい!」と言う学生もいる。

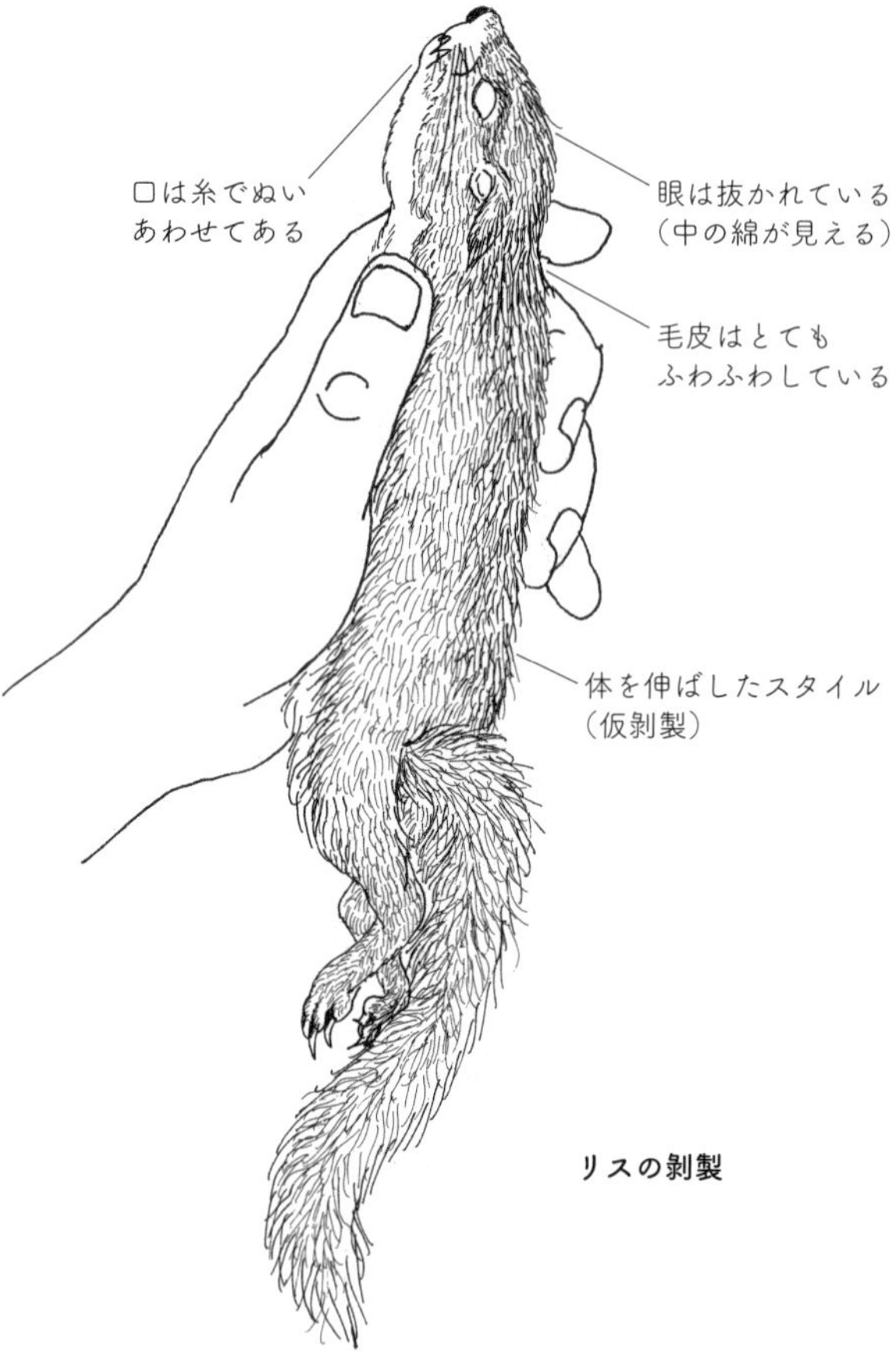
口は糸でぬい
あわせてある
眼は抜かれている
（中の綿が見える）
毛皮はとても
ふわふわしている
体を伸ばしたスタイル
（仮剥製）

リスの剥製

「目玉がないよ」

「そりゃ、とらないと腐っちゃうから」

「これ、ホンモノ？」

「そうそう、子どもたちも、「ホンモノ？」って聞くわけ。あのね、そう聞くのって、ホンモノそっくりのニセモノがたくさん出回っている世の中だからってことだよね。だから、ホンモノを見せる意味があるんだよ」

そう言いながらも、剥製は苦手な学生もいるかもしれないので、一通り見せ終わったら、すぐに箱の中にしまいこむ。

「じゃあ、もう少し、リスの気持ちに近づこうか。今度はゆでたドングリを持ってきたから、これを食べてみよう」

そう言って、保冷バッグの中からプラスチック容器を取り出し、中のドングリをまた、一つずつ、学生たちに配る。秋に千葉で拾って、一度ゆでてから冷凍しておいたドングリだ（理科室の冷蔵庫の冷凍室を占拠しているものだ）。こうしておくと、一年以上もつ。必要なときに取り出して、もう一度ゆでて使う。マテバシイのドングリは渋みがないので、ゆでただけで食べることができるのだ。ただ、殻は硬く、手や歯で割るのは大変だ。そのため、ゆでたドングリには剪定ばさみを使って切れ目を入れておく。まず、先端部を水平に少し切り落とす。このとき、中が黒いものははじいておく。次に切断面から底面に向かい、縦に一本、切れ目を入れる。こうしておけば、すぐに殻を割って中身を食べることができるからだ。この骨の授業の前日は、こうした下準備にそれなりの時間をかけることになる。小学校でやる場合、二クラスや三クラスを一日で回るとなると、ドングリの下準備だけでもけっこう手間がかかってしまう。

ゆでたマテバシイのドングリは、たいした味はしないけれど、初めてドングリを口にする学生もいて、それなりにおもしろがってくれる。沖縄ではクリも生えていないので、学生たちはクリの味にもそうなじみがない。そこで、ゆでたマテバシイのドングリを口にすると、「味のしないイモみたい」という感想が聞こえてきたりする。

実は近年の生態学者の研究で、日本では、野生のリスはドングリをほとんど食べないということがわかっている。このことについては、この日とは別の授業で木の実を扱うときに、「実はね……」という話で紹介をしている。日本のリスがドングリをほとんど食べないのは、多くのドングリに、リスが嫌う渋みがあるからだ(ドングリを食べ、かつ運搬もするのは、野ネズミたちである)。それにしても、ドングリといえばリスという思い込みは、いったいどのようにして形成されるのだろう。

「あのね、ここまでの授業で何か気がついたことある? 今日は骨の授業をすると言ったけど、まだ、骨が出てきてないでしょ。実は、骨をいきなり見せると、子どもがびっくりして泣いちゃったりするかもしれない。だから、少しずつ、骨に近づいていく。標本の見せ方には、順番があるんだ」

学生には魔法がかけられていると書いた。その魔法を解く必要がある。と同時に、必要な魔法はかけることもある。骨はおもしろい。そう思ってもらうためには、どんなふうにモノを見せていくかに工夫が必要ということだ。

イメージと実体

「ドングリを食べてもらったけれど、これ、はさみで切れ目が入っているから、殻を開けるのは難しくなかったけれど、そのまま歯で齧って殻を割るとしたら大変でしょう。しかも、おなかいっぱいになるまで食べるとしたら。そこで、リスはどんな頭の骨をしているか、見てみてね」

　こう言って、今度は骨がいろいろと入れられたプラスチック容器を取り出す。理科室の棚には、こうした教材が所狭しと詰め込まれているが、よく使う教材は、「骨セット」や「火打ち石セット」のように、ひとまとめにして容器や箱、袋に入れてある。ただし、大型の動物の骨の場合は、棚の中に頭骨がそのまま並べられたりもしている。そうした容器や箱や骨が棚に積まれていて、必要に応じて選んだものを、ザックに詰めたりカゴに入れたりして教室まで持ち込む。これは、子どものころに好きだったテレビ番組「サンダーバード」に出てくる、サンダーバード二号が発進する際に、救助用具の収納された特殊なカーゴを選んでいく様子に似ている、と僕はひそかに思っている（子ども心に、この場面にひどくひかれるものがあったのだ）。

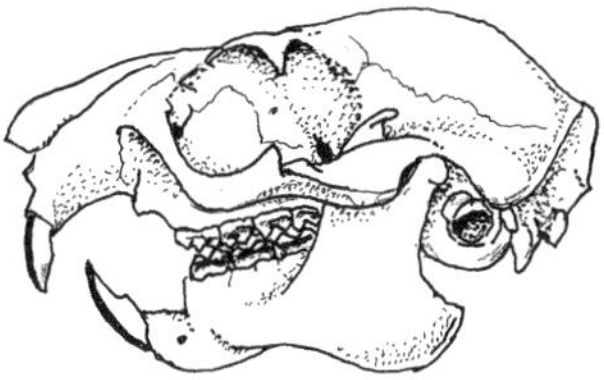

リス類（ムササビ）の頭骨

　プラスチック容器の中から取り出した、リスの頭骨（実は、より大型のため、見せるのに適している、リスの仲間のムササビの頭骨）を手に、また机の間の通路を歩きながら、学生たちの眼前に頭骨を差し出していく。ひとわたり見せ終わると、教壇の前に戻って、「リスの頭は、どんなところが僕らの頭骨と違っているかい？」と問いかけた。

　切歯が発達していることは、すぐに指摘がある。観察力のある学生は、切歯の前面が赤茶色をしていることを指摘する。これはホネホネサミットのときに、ユフキとのやりとりで説明したとおりだ。さらに、リスの仲間の頭骨には、切歯と奥歯の間に、歯のない隙間があるという特徴がある。このため、リスの仲間は切歯を口外に出したまま、唇をとじることができ、硬いモノを齧っている間、齧りカスが口の中に入るのを防ぐことができる。また、歯のない隙間は、ちょうどほっぺたのあたりに位置しているので、ここに食べ物を詰め込み、持ち運ぶこともできる。「ハムスターがそうやって、ほっぺたをふくらませるよね」と言うと、学生たちが、「ああ」とうなずいている。

「これが、硬いモノを齧る動物の頭骨の特徴だね。じゃあ、最初に話をした動物のことを覚えている?」

「ビーバー」

「ビーバーも、木という硬いモノを齧るよね。ビーバーの頭の骨はどうなっている?」

「リスみたいに出っ歯なんじゃないの?」

「うん。それでね、教員というのは、おもしろい仕事だなあって思うことがあるんだ。それはね、教えた生徒たちが、いろんな人生を歩み出すっていうこと。僕がまだ、埼玉の自由の森学園という高校で教えていたときの生徒が、ビーバー猟師になったわけ」

「ええっ?」

「ちゃんと言うと、ビーバー猟師のことを研究する人類学者になったんだ。それで、「ビーバーいいなあ」と言ったら、ビーバーの頭の骨を持ってきてくれた」

ザックの中から、円柱状のプラスチック容器を取り出す。カナダで売られていたヨーグルトの入っていた容器だ。自由の森学園のホネホネ団の卒業生、ミカコが持ってきてくれたものなのだ。蓋を開けると、中からビーバーの頭骨が出てくる。リスの頭骨と、同じような形をしている。

「リスに比べると、ずいぶん大きいよね。これだけ大きいと、最初に見せた太い木の枝も齧ることができるわけ。それでね、大きい骨はほかにも利点があってね」

こう言いながら、下あごの切歯の先端をつまんで、下あごの骨からずるずると歯を抜き出してみる。骨格標本をつくり、歯茎を取り除くと、多くの動物では、歯は抜け落ちてしまう。そのため、歯が無くなってしまわないように、接着剤で本体の頭骨とくっつけておく必要があるのだけれど、このビーバーの頭骨標本は、わざと下あごの切歯だけ、接着しないままにしてあるのだ。大型の頭骨なので、切歯を抜き取る様を見せるのに都合がいいのだ。

「リスやネズミ、ビーバーといった、齧歯類と呼ばれる動物たちの切歯は、こんなふうに、根っこがあごの骨の中に深く埋まっていて、先端が削れると、どんどん伸びていくしくみになっているんだ。このように、動物の食生活と歯の形には、深い関わりがある。だから、歯の形を見ると、何を食べるどんな動物なのかという見当がつくことになる。それと、リスやネズミの仲間の頭の骨はこういう形をしているって、今日わかったでしょう。するとね、何か頭の骨を見たときに、リスの仲間かそうじゃないかがわかるってことだよ。だから、一つ何かがわかるって、とても大きなことなんだよ」

リスの次に見せる動物の骨の話に移る。

「次に見せる動物の骨は、僕が死体を拾って、鍋でゆでてつくったものだけど、歯の形を見て、いったいどんなものを食べる、なんという動物だと思う？　やっぱり、小学生だと、どう答えるかなと思って、思いついたことを言ってみて」

リスの頭骨が入っていたプラスチック容器から、別の骨を取り出す。手のひらに載るほどの大きさの、やや鼻先がのびた全体に細長い形をした頭骨だ。犬歯が牙状にとがっていて、ほかの歯も先端がとがっている。これを見て、学生たちは「肉食？」と声をあげる。

机の間の通路を、骨を手にして歩きながら、目にとまった学生に「何の骨だと思う？」と声をかけて聞いてみる。

「イヌ？」「ネコ？」「マングース？」「ヘビ？　ハブとか……」あれこれ、あれこれ。

「小学生の子どもたちにこの骨を見せると、「恐竜？」って言ったりするよ」

これを聞いて、学生が笑う。

黒板に、イヌ、ネコ、マングース、ヘビ、トカゲと、学生たちが口にした動物を書き出していく。そのとき、「イヌ、ネコ、マングース」と「ヘビ、トカゲ」は段を分ける。

「この授業は、あちこちの小学校でやったりしているわけなんだけど、だいたい子どもたちがよく言う動物の名前って、決まっているんだよね。沖縄の子どもたちはマングースって言うけれど、本土の子どもたちならイタチって言う地方差はあったりするけれど。それで、子どもたちのよく口にする動物の骨は、実物を見せたいなあって、思うじゃない。長年、そんなことを思っていると、少しずつ手元に集まってくるわけ。決して、最初から全部の骨がそろっていたわけじゃないよ。例えばね、この骨を見せると、小学生の子どもたちは、けっこうワニって言ったりするんだ。歯が鋭い動物＝肉食＝ワニっていう連想だよね。それでね、ワニがほしいなあと思っていたら、ワニの頭の骨が手に入った」

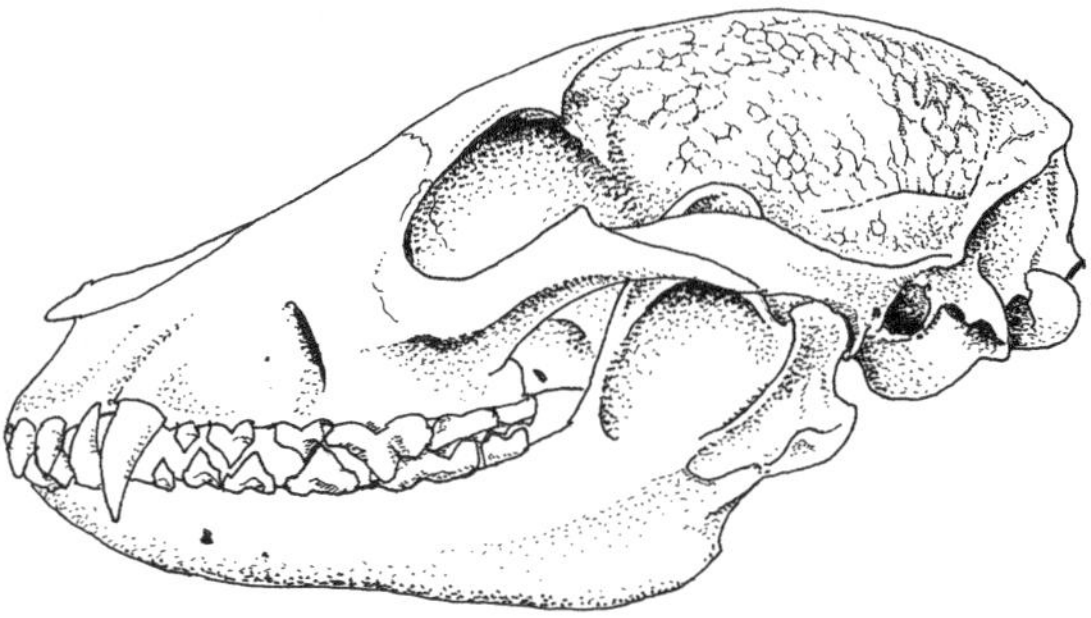
何の頭骨？

学生が、「えっ」という顔をする。リスの頭骨が入っていた容器をまさぐり、もう一つの骨を取り出す。ワニの頭骨。でも、学生がそれを見て、笑いだしてしまう。あまりに小さいからだ。もちろん、子どものワニの骨だ。養殖され、ベルトなど、皮革製品に利用されたあとの頭骨で、ホネホネサミットに参加したとき、骨友だちのサイトウさんにもらったものだ。

「これはまあ、子どものワニだから小さいんだけど、見てほしいのは、頭の大きさに比べて、歯がちっちゃいこと。ワニって、歯がすごいっていうイメージがあるでしょ。でも、本当は、体の割には小さな歯がたくさん生えているんだ。これは、ワニは口の中で咀嚼《そしゃく》はしないから。歯は獲物を逃がさないためだけのもので、獲物をくわえたら、あとは丸呑みしちゃうわけ」

ワニの頭を手に、また机の間を回っていく。あごの骨に、ずらりと並んだ、とがってはいるものの、同形同大の、頭骨に比べると小さめの歯を見て、学生たちは「ほんとだ。小さい」と声をあげている。

「だから、頭の割に小さな、同じような形をした歯がずらっと並んでいたら、これは丸呑みをする動物だということ。陸上動物だと、こうした歯をもっているのは、爬虫類だっていうことになる。前歯、犬歯、奥歯って、形と機能が異なった歯をもっているのは、哺乳類だということになるんだ」

丸呑みをする動物の頭の骨の例として、もう一つ、ハブの頭骨を見せる。ハブの頭骨は、毒蛇という、なんだか凶悪なイメージとは裏腹に、華奢《きゃしゃ》だ。動物としては、さほど力がないがゆえに、毒を使って獲物を倒しているといえるかもしれない。ハブの頭骨は、ほぼフレームだけといってもいいような外観をしている。特徴的なのは、際立って発達している、注射針のようなキバ。もちろん、毒を注入する歯だ。口の中にはほかにも歯があるが、ほとんど目立たないほどの大きさしかない。ハブの骨を手に、また学生たちの席を回る。

「リスの頭骨や、今、何の動物か考えてもらっている肉食の動物の頭骨は、ゆでて肉をとってつくったんだけど、ヘビの仲間だと、ゆでるとバラバラになって組み立てられなくなっちゃうんだ。だからこれは、入れ歯用洗浄剤で肉を溶かしてつくった標本だよ」

そして、このハブの頭骨を見せながら、また一つ、プラスチック容器から骨を取り出す。マングースの頭骨だ。沖縄の観光地には、ハブとマングースの決闘ショウをしているところがあるか

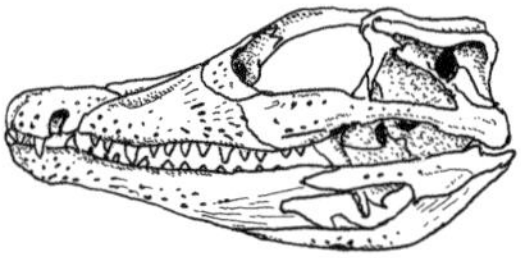
子ワニの頭骨

ら、ハブとマングースはなんだか対《つい》になるようなイメージがある。ハブとマングースの頭骨をそれぞれ左右の手に持って、「ほら、対決するとしたら、似たようなサイズだからちょうどいいよね」と言うと、学生は「マングースの頭って、こんなに小さいんだ」と驚いている。

結局、問題の骨は、ハブでもトカゲでもマングースでもないことがわかる。黒板に残されている動物の名は、イヌとネコだ。

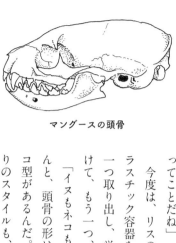

「さっき、近くの中学生たちに、普段どんな生き物を見ているかって聞いたら、イヌ、ネコ、ハト、ゴキブリ、草っていう回答だったと紹介したよね。イヌ、ネコって、都会の中でも見ることのできる身近な動物だよね。でも、みんなにとって、骨はどうなっているか、わかっていないってことだね」

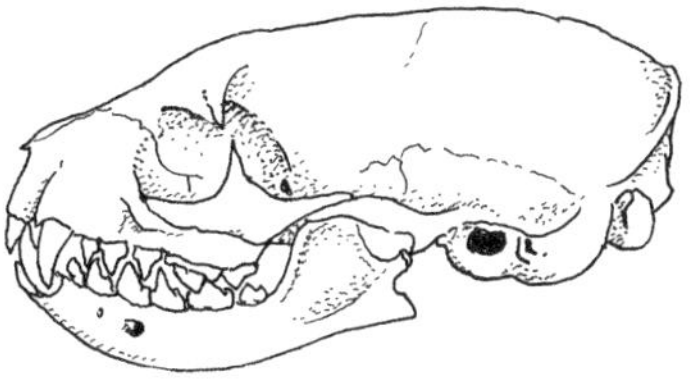
マングースの頭骨

今度は、リスの頭骨が入っていたプラスチック容器よりも小ぶりなプラスチック容器を、ザックから取り出した。その中に入っている頭骨を一つ取り出し、学生たちに見せ「ワン」と言った。イヌの頭骨だ。つづけて、もう一つ、頭骨を取り出し「ニャア」。もちろん、ネコの頭骨だ。

「イヌもネコも、鋭い犬歯が発達してる肉食動物だよね。でも、ずいぶんと、頭骨の形は違っている。肉食動物には、大きく分けてイヌ型とネコ型があるんだ。イヌの頭骨は、鼻先がずいぶんと長いよね。だから狩りのスタイルも、匂いを追いかける追跡型。映画とかで、オオカミに追

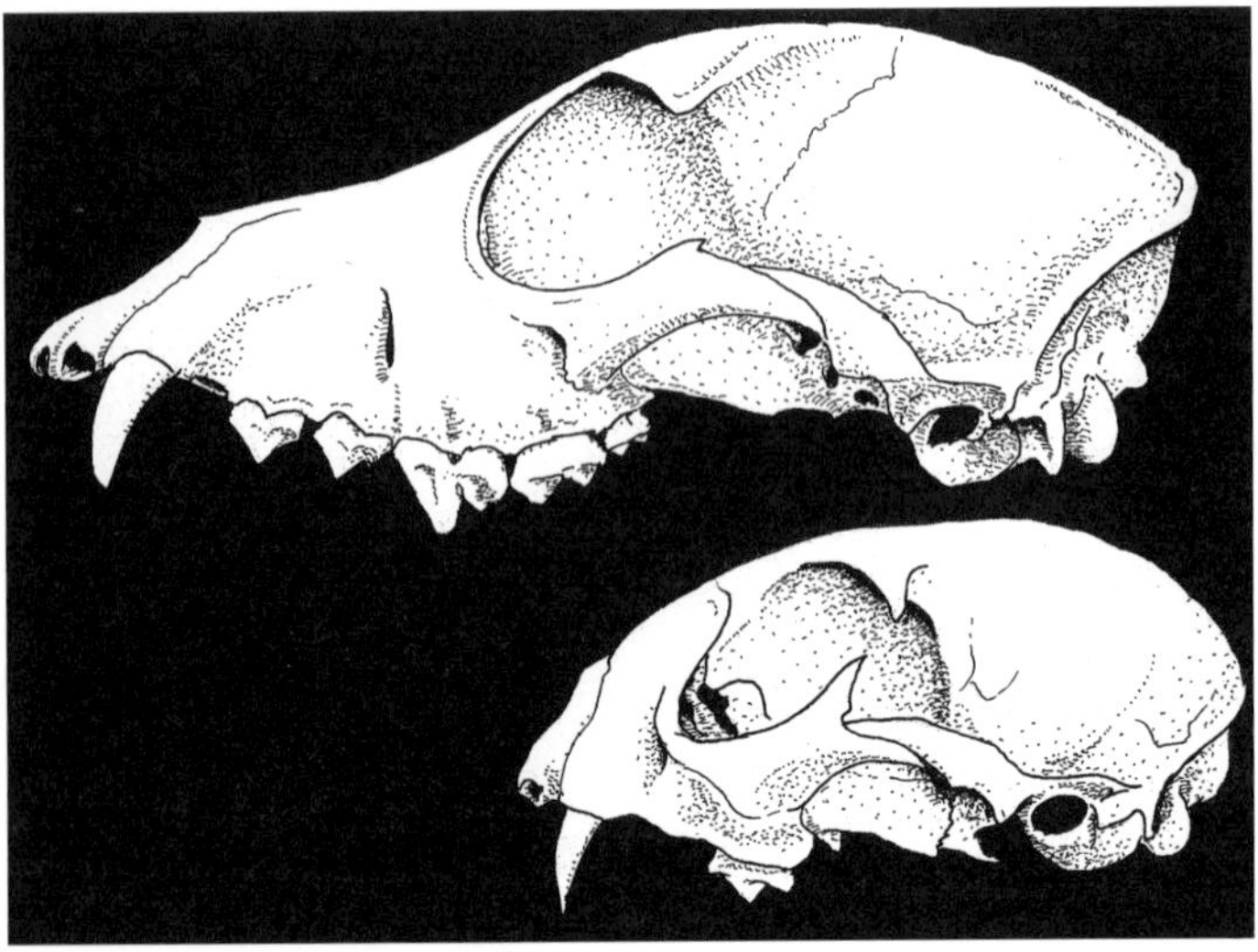

イヌの頭骨(上)とネコの頭骨(下)

いかけられて、逃げ回って、最後にオオカミにひきずり倒されて、ってところで夢が覚めるなんていうシーンがあるよね。ネコのほうは、鼻先がイヌのように伸びていない。代わりに大きな目の入っていた穴が、二つ前を向いている。両眼で見ることで、獲物との距離が測れるようになってるんだ。そっと近くまでしのびよって、最後は距離を測って、一気に飛びついて首筋に牙をたてる。だから、ライオンやトラに襲われたら、気づく前に死んじゃってるかもしれない。どっちがいい?」

もちろん、どっちもいやだ。さて、では、先の謎の骨はどっちタイプだろう。

「イヌっぽい」

「そうだよね。でも、イヌよりも頭骨が小さいね。正解を黒板に描くよ」

僕はまた、マンガチックな動物の絵を黒板に描いていく。できあがった絵はタヌキだ。さらに、ザックの中からタヌキの全身の毛皮を取り出して、学生たちになでてもらう。プロの手で処理された毛皮なので、ふわふわで気持ちのいい手触りだ。沖縄にはタヌキがいないこともあって、初めてタヌキに触った学生たちは、けっこう喜んでいる。

「沖縄にはタヌキがいないから、ちょっと難しい問題だったかもしれない。でもね、この問題、本土の小学校でもあたらないよ。なぜかというとね、僕たちの頭の中では、タヌキはこうなっているから」

そう言って、黒板のタヌキの絵を描きなおす。さきほどの絵もマンガチックだったが、描きなおされたのは直立したタヌキで、おなかが真ん丸で、しっぽが大きい。昔話の絵本に出てくるようなタヌキの姿を描いたわけ。

「僕らの頭の中には、こんなキャラクター化されたタヌキが棲みついているから、実際のタヌキの頭骨を見ても、

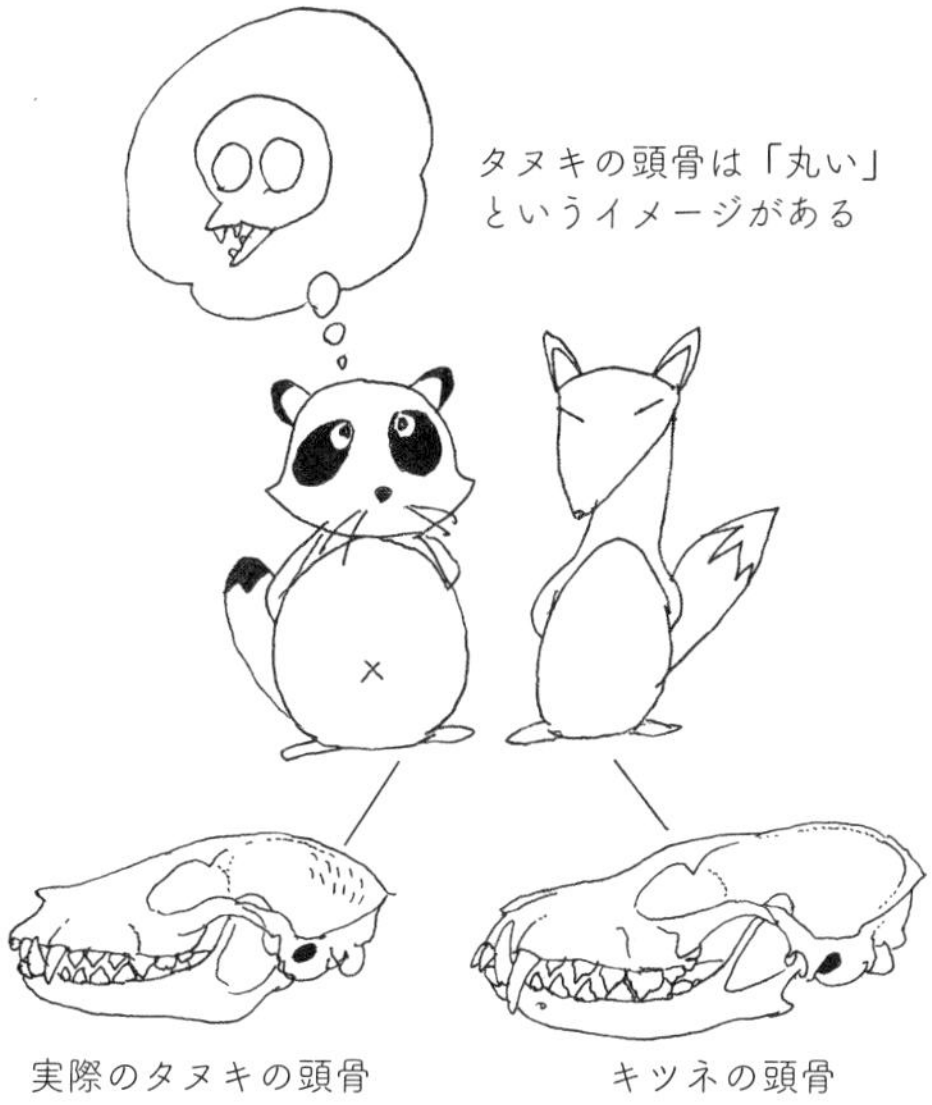
タヌキの頭骨は「丸い」というイメージがある
実際のタヌキの頭骨
キツネの頭骨
イメージと実像のギャップ

タヌキの頭はもっと丸いはずと思っちゃってるんだね。あと、相棒のせいもある。昔話でタヌキの相棒といったら？」

「キツネ？」

そうそう、とうなずいて、マンガチックなタヌキの絵の隣に、今度は、細長い逆三角形の顔に細い吊り目をした、マンガチックなキツネの絵を描き加える。

「キャラクター化されたキツネが細身だから、よけい、タヌキは丸いっていうイメージをもってしまう。じゃあ、本物のキツネ、登場！」

容器の中から、キツネの頭骨を取り出して、タヌキの頭骨と比較する。タヌキの頭骨だけを見ていたときは、頭骨を見て「肉食」と思ったわけだけれど、キツネの頭骨はタヌキよりうんと細長く、犬歯もずいぶんと立派で、一言でいえば、ずっと肉食的だ。

「前に、東京の小学校四年生にこの授業をしたとき、キツネの頭骨を見せたら、「リアルごん狐！」って声があがって、笑っちゃった。こんなふうに、キツネの頭骨から、ごん狐を連想した子どもがいたりするわけだけど、この前、小学校の先生をしている、こども文化学科の卒業生が、最初に見せたビーバーの齧った木や、ビーバーの頭骨を借りに来たよ。小学校二年生の担任をしているんだけど、国語の読み物教材の中にビーバーが出てくるからって。だから、この授業で扱うことは、何も理科だけに限るってわけでもないんだ」

常識をさぐる

「リスとタヌキで見たように、動物の頭の骨や歯を見ると、何を食べるどんな動物かわかったよね。じゃあ、応用問題。これから見せるのは、沖縄の動物だけど、歯を見て、何を食べる動物かあててみてね。沖縄の動物って何だっけ？」

「ヤンバルクイナ」

「ヤンバルクイナは鳥だから、骨にしたらくちばしになっているから、すぐわかるよね。イリオモテヤマネコも、もう、ネコの骨がどんなか見たからわかるはず。じゃあ、この骨は、誰の骨だろう？」

ザックの中から、包みを取り出す。「おっきい！」という声とともに、学生たちが少しざわつく。これまで見せた、せいぜい手のひらサイズの頭骨に比べると大きく、両手でかかえるほどの大きさだ。包んでいる緩衝材をはいで出てきた動物の骨を手に、また机の間を回る。ときどき、下あごをはずして、歯の様子をよく見せるようにする。

「草食じゃない？」「ウシ？」「ヤギ？」「なんか、歯がヒトに似てる」

学生たちがそう口にする。ひとわたり、机の間を回り、教壇の前へと戻った。

「子どもたちに、この骨を見せると、「恐竜？」って言ったりするんだ。沖縄の動物だって言ったのにね。さすがに、大学生は、恐竜って言わないね。沖縄の森の中には、タヌキもリスもいな

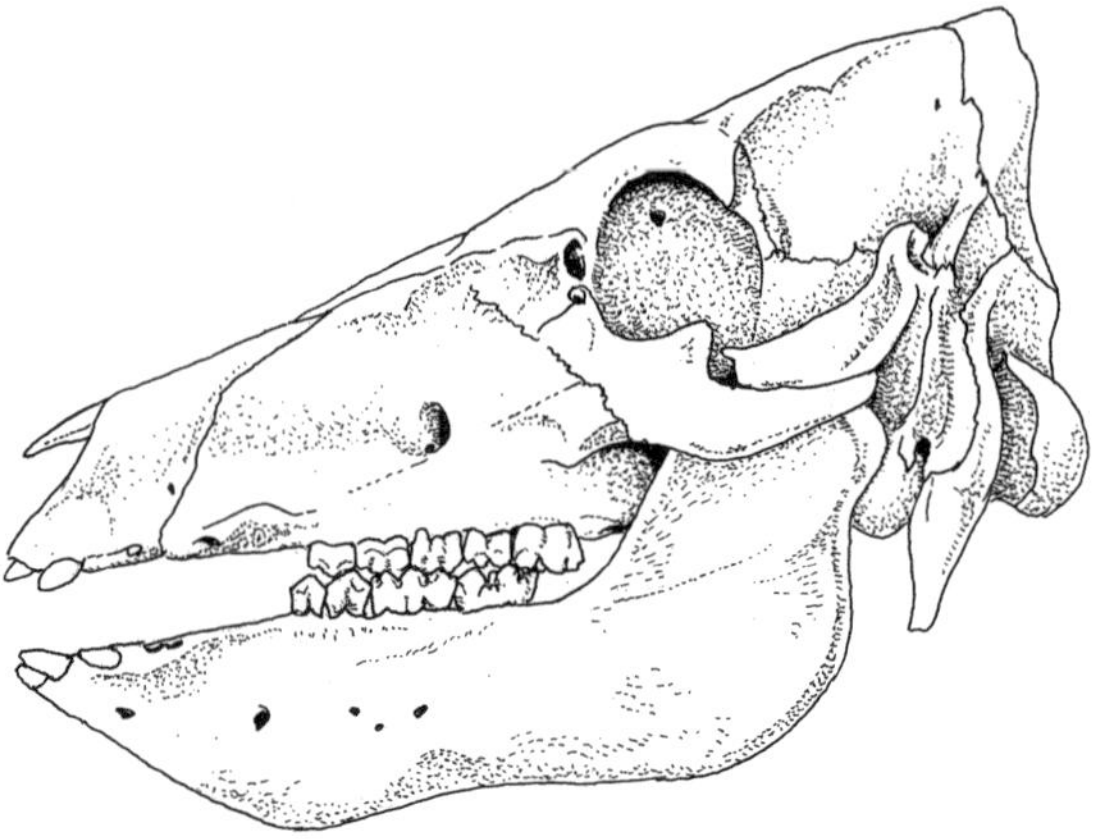

何の頭骨？

い。みんなが口にしていたように、これは人間の飼っている家畜の頭骨なんだ。沖縄の主な家畜は、ウシ、ウマ、ヤギ、ブタの四種類がいるよ。これは、だから、そのうちのどれか。これから、みんなに、どの動物だと思うか聞くよ。これだと思ったところで、手をあげてね」

ここで、もう一言、注意を付け加える。

「授業を考えるとき、「生徒の常識から始まって、その常識を超える」ってことが大事だと思っている。だから、「常識」のありどころを知ることが大事なんだ。これから、どの動物だと思うか手をあげてもらうけど、自分の予想があたっているかどうかよりも、どの動物に一番手があがるかな？　ということに注目してほしいんだ。みんなが一番多く手をあげた答えが、このクラスの「常識」なわけだから。だから、自分の予想が、あたっているか間違っているかは気にしないで、これだと思うところに手をあげてね」

ウシ、ウマ、ヤギ、ブタ、と順番にどれだと思うか手をあげてもらう。結果は、ヤギと思う学生が一番多い。ついでウシ。ウマやブタに手をあげた学生は少数だ。

「この結果はね、小学生と一緒。沖縄の小学生も、本土の小学生も、ほとんど一緒。ヤギに一番手があがる。だから、この骨を見ると、ヤギだと思うというのが一般的な常識だし、こうした問題については、小学生も大学生も常識に違いがないってことがわかる」

そう言って、正解ではない動物の骨をザックから取り出し、見せていく。最初に取り出した細長い紙箱の中からは、箱と同じく細長い頭骨が出てくる。上下とも発達した前歯と、これも発達した奥歯が特徴的だ。

「細長い頭をしているよね。前歯でニンジンとか齧るよね。ヒヒンって、鳴くよね」

つまりは、ウマの頭骨だ。その次。ザックの中を手探りして、先端のとがった、ややカーブした円柱状の骨を取り出し、自分の頭のところにかざす。

「これ、角《つの》だよね。モー。ウシの頭には角があるよね。シカの角は皮膚のでっぱりの中にできたものだから、秋になると角が落ちる。ウシの場合は、角は頭骨のでっぱりなんだ。これは牧場で角を切り落としたのをもらってきたもの。それと、ウシの頭はもっと大きいよ。このザックにも入らなかったから、こうして角だけ持ってきたんだ」

残るはヤギとブタだ。ザックの中を手探りして、骨を取り出す。

「メー。これ、ヤギの頭骨の角のところ。ヤギはね、ウシの仲間なの。だから角がある。というわけで、正解はブタ。沖縄は日本の中でもよく豚肉を消費する地域だけど、こうして骨にしちゃうと、わからない人が多いんだね。だから、常識がすなわち正解ってことにはならない場合も

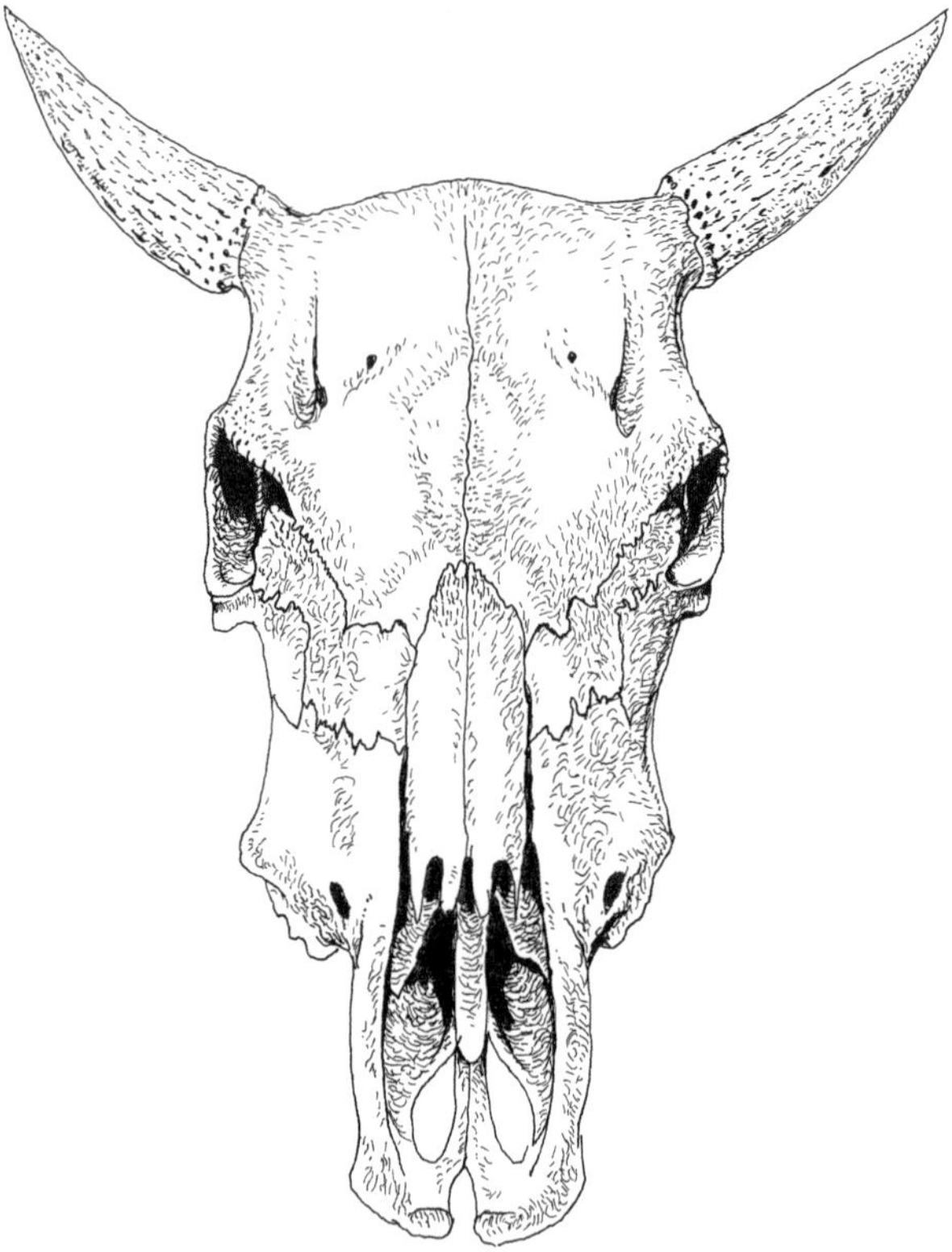

ウシの頭骨

あるよね」

黒板に、今度はマンガチックなブタの絵を描く。ブタの顔といえば、特徴的な鼻や、丸い顔というイメージが強い。だから、実際のブタの頭骨を見ても、ブタだということがわからないのだ。

「本当のブタは、鼻先が突き出ていて、嗅覚がするどい。フランスでトリュフという地中のキノコを探させるっていうよね。それと、さっき、頭骨を見てもらっているときに「ヒトの歯に似ている」っていうことを誰かが言ってくれたよ。ブタはね、雑食だから、歯がヒトに似てるんだ。さっき取り出したウマの歯と比べてみるよ。ウマの臼歯は、ずいぶんと発達しているよね。これが草食動物の歯だよ。そうそう、今までこの頭骨クイズで、正解者の割合が多いグループがあってね。それが歯医者さんだったの。歯医者さん、ブタの歯で治療の実習をしたりするんだって。ヒトの歯と似ているからって」

〝くらし〟と〝れきし〟

「ブタの骨について、もう一つ、クイズを出すよ」と学生たちに言う。沖縄は伝統的に多様な豚肉料理がある。耳もミミガーと呼んで酢の物などに利用する。腸はナカミと呼び、正月料理には欠かせない。そして足先はテビチと呼び、おでんなどの煮ものに利用されている。

「僕が沖縄に来たとき、珊瑚舎スコーレというフリースクールの立ち上げを手伝っていたんだ。一番初めの学校説明会をしたときは、誰も説明を聞きに来なかった。その帰り道ね、校長のホシノさんが、謝礼は出せないけどって、沖縄風おでんをおごってくれたわけ。それまで沖縄におでんがあるのも知らなかったんだけど。それで、見ると、おでんにブタの脚が入っている。食べると、指や手のひらの骨が残る。もったいないから持って帰って、バラバラになった骨をゆでて脂をぬいて、干して組み立てたんだ。それをおでん屋に持って行ったら、おでん屋のおばあが「毎日ゆでているけど、組みたつのは初めて見るさあ」と言ってね」

学生が笑う。

「それで、これは骨の授業に使えるなと。みんなもテビチは食べたことがあるでしょう。ちょっと思い出してみてほしい。人間の手には指が五本ある。じゃあ、ブタの脚には、指が何本あるだろう?」

「三本?」

「二本?」

「ほら、意見が分かれたね。じゃあ、また「常識」を調べてみよう。今度は五択だ。ブタの指、一、二、三、四、五の何本指かを、考えてみて」

手をあげてもらうと、三本指だと考えている学生が一番多い。続いて二本指に人気が集まる。四本がこれにつづき、さすがに一本、五本と考える学生は少数だ。これまた、小学生に聞いても、同じだ。

正解を提示する。

「おでん屋のテビチは、食べやすいように途中で切られていたりするから、市場で生のテビチを買ってきて、ゆでて肉をとって、脂をぬいて干して組み立てたものを持ってきたよ」

そう言いながら、プラスチック容器からテビチの骨を取り出して見せる。答えは四本指だ。前回の質問同様、学生たちの「常識」が正しいとは限らないわけ。

「でもね、これって、ヒトに比べて一本、指が足りないってことだよね。実は、ヒトと比べると、何指かが、退化しているんだけど、何指がないんだろう?」

「親指?」

「中指?」

「これね、おでん屋のおばあに見せたら、「ハイヒールって呼ぶ人もいるよ」って言うわけ。確かに似ているよね」

テビチの骨は、ヒトと比べると、指が一本足りないだけでなく、かかとの部分が空中に浮いている、つまり爪先立っているという特徴がある（だからハイヒールのように見える）。

「「爪先立ちになるときって、どんなとき」って子どもたちに聞くと「背伸びをするとき」とか「抜き足差し足するとき」って言うんだけど、ほかにもあるよね。そう、かけっこをするとき。運動会のとき「位置について、ヨーイ」って言われると、爪先立ちになるでしょう。ヒトも、駆けるときは、足の裏が全部、べたべたと地面についていたら、速く走れない。爪先で、パッ、パッと地面をけるように走ると、速く走れる。ブタの場合は、天敵に気がついたとき、すぐに走り出せるように、いつでも爪先立ちになっているわけだね」

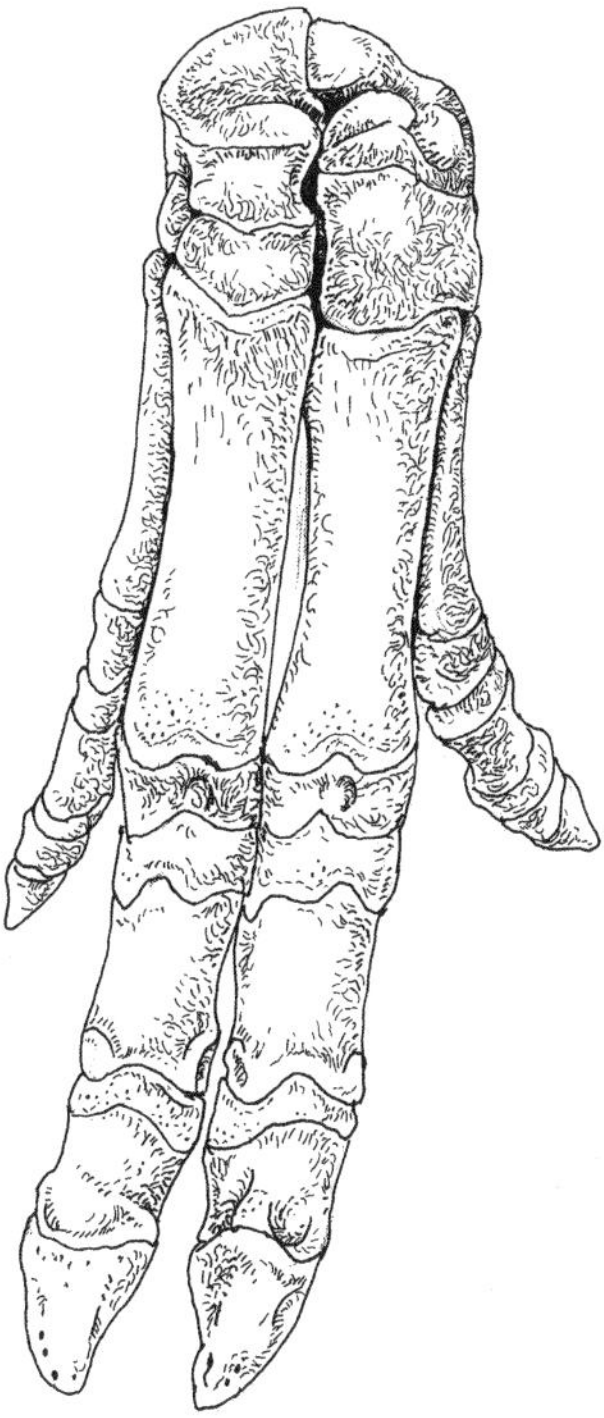
ブタの脚先

子どもたちにもやってもらう実演

を、ここで学生たちにもしてもらう。両方の手のひらを、机の上にペタリとつける。これを脚に見立てることとする。手のひら、つまり足の裏をぺたぺた全部つけて歩くのが、ヒトの歩き方だ。では、ブタではどうなっているだろう。かかとに見立てて、手のひらの付け根を机から持ち上げて、爪先立ちの状態をつくってみる。すると、爪先立ちになるにつれ、親指がすっかり机から持ち上がってしまうことに気づく。残る四本の指先が地面についている状態、これがブタの脚だ。

逃げる動物だけでなく、追いかける動物も、同じようにいつでも爪先立ちになっている。「ネコやイヌも四本指だけど、イヌの場合、地面にはつかないけれど、小さな親指のなごりがあるよね」と言うと、学生の何人かが「ああ」とうなずいてくれている。

「もっと、爪先立ちになるとどうだろう?」

手のひらの付け根を持ち上げてゆくと、今度は小指が机からすっかり持ち上がってしまう。

「こんな三本指の動物がいるよ。けっこう駆け足が速い。一度だけ追いかけられて、怖い目にあった」

「ニワトリ?」

「ニワトリは、前向きに三本指があるんだけど、もう一本、後ろ向きに指がついている。だから、枝とかをつかめるんだ」

僕は、黒板にマンガチックな動物の絵を描く。

「サイ?」

「そう。アフリカのケニアでサファリに行ったことがあってね。ガイドさんが「あっちにサイがいます。近寄ってみましょう」って言って、ジープを近づけたら、サイが顔をあげて、ジープに向かって走り出そうとしたんだ。で、あわててバックしてね。「あのサイ、怒ってます!!」って」

また、学生が笑う。おそらく、密猟者に追いかけられたことのあるサイじゃないか、とガイドは言っていたわけだけど。さて、さらにかかとが上がって、二本の指だけで走っている動物がいる。その指先の標本を容器から出して見てもらう。

「?・?・」

「これはね、さっき頭骨を見た動物だよ。ヤギ。ヤギって、二本指で、さらに指先が小さいでしょう。だから岩場のでっぱりなんかにも立つことができる」

究極の爪先立ちの動物は中指だけで立っている。それは誰だろうと問いかけてみる。

「走るのが速いわけ?　じゃあチーター?・」

「肉食動物は、追いかけて行って、獲物に爪をたてて倒したりするから、指を減らすようにはなっていないんだ。代わりに、チーターは、全身をバネのように動かして、すごいスピードを出している。全身運動なので、こうやって走れるのは、わずかな時間なんだけど。だから、一本指になった動物は、肉食から逃げる動物のほうだよ」

「ウマ?・」

「そう、ウマ。じゃあ、ウマの指を見せるね」

ザックの中から、ウマの指の骨を取り出して見せる。

「指？」

指の骨とは思えないほど太い骨を見て、学生から「えっ？」という声があがる。

「そうそう。ウマは中指一本なんだけど、一本指で立つには、指を五本分あわせた太さがなくちゃいけない。でも、これはウマの手のひらにあたる部分の骨。僕らの指には、関節があるでしょう。ウマの指にも、同じように関節があるよ」

そう言いながら次々に指の骨を取り出し、つなぎあわせていく。最後に指先の骨を取り出す。指先の骨は半月型をしていて、これを見て、学生たちは「ほんとにウマの脚だ」と納得している。

「こんな話をしたくて、ずいぶん前に、ウマの脚の骨を手に入れようと思ったわけ。そうしたら、知り合いが、熊本に食肉用のウマの牧場があるよと教えてくれて。そこに電話をしたら、脚先は食べないからゆずってあげると言われてね。それで、送ってもらった脚先をゆでて骨にしたんだ。それで実際にやってみると、またわかることがある。指の骨の裏にね、もう二本、細長い骨がくっついていたの」

ザックから、その二本の骨を取り出す。この二本も、手のひらの部分の骨(中手骨《ちゅうしゅこつ》)だ。

「さっき、手のひらを机の上に載せて、もともと五本だった指が、爪先立ちになるにつれ、四本、三本、二本、一本と変化してきたっていうことをやってみたでしょう。ウマも、ご先祖様は五本指だったのが、同じように、指が減っていったんだよ。でね、この二本は退化したけど、まだすっかりなくなりきっていない、人差し指と薬指のなごりなんだ」

ここで、僕がなぜ骨を使った授業をしてきたのかについてのまとめを、学生たちに伝えることにした。

「頭の骨や歯を見ると、どんなものを食べているかがわかる。骨は、その動物の〝くらし〟を教えてくれるものだった。脚の指の数を見ると、どのくらいかけっこが得意な動物かがわかるんだけど、それだけじゃなくて、もともと五本だった指がどんなふうに数が減ってきたかっていう、〝れきし〟がわかったりする。骨はこんなふうに、〝くらし〟と〝れきし〟を教えてくれるものなんだ。でも、骨じゃなくてもいい。どんな生き物にも必ず、〝くらし〟と〝れきし〟がある。それが生き物を見るときの見方だよ」

最後に、もう一つ、話を付け加えた。

「最初に、リスやビーバーの話をしたよね。リスはドングリが好きっていう話だった。銀行のキャラクターにドングリを前足で持ったリスが選ばれていることもあるよね。貯蓄のイメージで。じゃあ、そのリスの前足、何本指かわかる？」

「ええっ？」

「あんまり、考えたことがないでしょう。気にしていないと見えてこないことがあるってことだね。リスがドングリを前足で持つとしたら、何本指がよさそう？」

「人間と同じく、五本かな」

「そうだね。〝くらし〟からすると、そういうことが考えられる。でも、もう一つ、生き物の体のつくりのわけが、〝れきし〟に根差している場合もあった。ところで、リスの指を気にしたことがないのは、体が小さいせいもあるよね。実は、リスやビーバーやネズミはみんなおんなじ仲間で、前足の指の数も一緒なんだ。だから今日は、見やすいように、世界最大のネズミを持ってきたよ。アメリカ大陸原産なんだけど、人気があるので、日本にも持ち込まれていてね。ほしいなあと思ったら、沖縄中部の海岸で拾ったの。大きいから、今日は手だけ持ってきたよ」

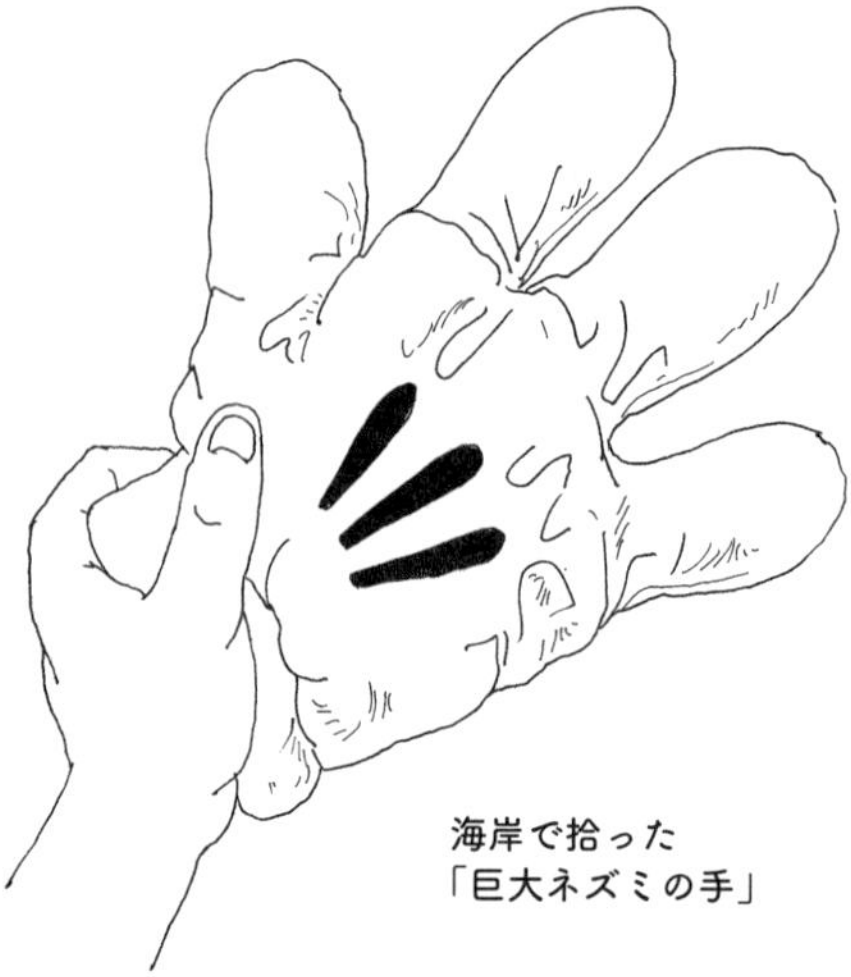

海岸で拾った
「巨大ネズミの手」

そう言って、ザックの底から、今日最後の標本を取り出して見せた。とたんに笑い声がおこる。僕の手ににぎられていたのは、ミッキーマウスの手袋だったから。

「これ本当に海岸に落ちていたんだよ。それを洗って干して持ってきた。見てごらん。ミッキーには四本しか指がない。実際のネズミにも親指がなくて、四本指なんだ。ものをつかむということからいうと、五本指がよさそうだとも思うんだけど、ネズミやリスの先祖はどこかで親指を退化させちゃった。だから、みんな四本指だ。これは〝れきし〟に理由があったんだね。ディズニーがどのくらいネズミを観察して、ミッキーをつくり出したかはわからないけど、人間がつくり出したキャラクターにも、こんなふうに実際の自然が反映されていることがあるんだね」

そう言って、僕はこの日の授業を終えた。

先生は知りすぎている

授業づくりのポイントで一番大事なのは、「生徒の常識から始まって、生徒の常識を超えること」。生き物には、必ず〝くらし〟と〝れきし〟が関わっている。僕が理科教育に関する授業の初回で、学生たちに伝えたかったことは、煎じ詰めればこの二つに集約される。そして、この二つは、僕の授業では繰り返し学生たちに示されることになる。

二回目の授業は、生き物の〝れきし〟性をもう少し実感してもらうために、化石についての授業を行っている。

大学生たちに、化石についての授業をしようと思ったのは、大学に就職する以前、フリースクールの珊瑚舎スコーレで、高校生たちとやりとりしたことがきっかけだ。生き物には、進化の歴史があるという話の中で、たまたま僕はその授業の少し前に露頭から拾い上げたばかりだった化石を、生徒たちに何の気なしに見せたのだ。「化石だよ」と。ところが、それを見た生徒たちが「化石？　化石じゃなくて貝じゃん」と言ったのだ。僕が見せたのは、確かに貝の化石だったたのだけれど、いったい、どこに互いの認識の「ずれ」があるのだろうと思い、今度は「じゃあ、化石ってどんなもの?」と生徒たちに聞き返してみた。

「石みたいになって、ぺっちゃんこになってるもの」

これが、生徒たちの回答だった。ああ、なるほどと思う。僕がこのとき、生徒に見せたのは、一〇〇万年ほど前の貝の化石だった。化石とはいっても、今、海で見られる貝と形は変わらないし(場合によっては、同じ種類のものだって見られる)、殻が一様に白くなっていることを除けば、ぺっちゃんこになんかなっていない。

「いやいや、これだって化石なんだよ」

僕は内心、こうした思いがわき上がったのだけれど、その一方で、僕自身、化石について、知ってるつもりになっていることがあるんじゃないだろうかということに、初めて気づいた。そして、化石を教材にすると、生徒や学生の常識をゆらす授業ができるのではないかと考えた。

さて、大学生にも「化石ってどんなものか知っている?」と聞くと、「アンモナイト」「恐竜」といった、小学生に対して同じ質問をしたときとさほど変わらない回答が返ってくる。僕は、先の珊瑚舎スコーレでの、化石についてのやりとりをここで紹介した。

「化石をめぐって、僕とスコーレの生徒との間に、認識のずれがあったわけだけど、このやりとりをするまで、僕も生徒も、互いの認識にずれがあるってこと自体に気づいてなかったわけ。僕は僕で、もう化石ってものをあれこれ知っていて、それが自分の常識になっているから、当然、生徒もそうだと思っちゃっていた。逆に、生徒は生徒で、自分の限られたイメージで化石っていうものを理解してるつもりになっていることに気づいてない」

教員も生徒も、それぞれ、互いの常識の枠の中に閉じ込められた状態にある。逆に、授業というのは、その互いの常識の枠を認識することのできるチャンスといえる。

父曰く、「教員はね、知りすぎていて、その枠に縛られている」ということになる。

もう一度、化石ってどんなものなのか、実物の化石を観察しながら考えていこうというのが、この日の授業の目的だ。

「僕の息子は海。僕は満。僕の父親は襄。祖父は会ったことないけれど、名前は重臣……。ここまでは知っているんだけど、その先は、名前もわからない。みんなは、どれくらい、先祖の名前を知っている？　僕の知人に、タケカワさんという人類学者がいるんだ。このタケカワさんのフィールドはバヌアツという国なんだけど、バヌアツでは、結婚式の新郎新婦の紹介に半日かかるんだって」

「？」

「ほら、「新郎はお父様の◯◯さん、お母様の△△さん、おふたりの長男として生まれ……」っていう紹介があるでしょう。バヌアツの結婚式だと、これにすごく時間がかかる。なにしろ、一五世代前の先祖から紹介するからなんだって」

学生が笑う。

「すごいよね。で、この先祖を覚えている専門の人がいるらしい。それで、新郎新婦に赤ちゃんが生まれると、結婚式で紹介したときの一五世代前の人はキャンセルになる……。こうやって、歴史を伝えてきたんだね。タケカワさんがもう一か所、フィールドにしているソロモン諸島では、何かしでかしたら、おばあちゃんに歌にされるのが怖いから、あんまり羽目をはずさないようになっているという話も聞いたよ。歌にされちゃうと、例えば恥ずかしい出来事がずっと伝えられちゃうから。これ、歌が出来事の「化石」みたいな働きをしているって言えるんじゃないかな」

この話をして、僕は教壇の傍らにたてかけてあった、三線《さんしん》を小脇に抱えた。といってもオンチなので、曲のさわりだけつまびく。沖縄民謡として有名な「安里屋《あさどや》ユンタ」という曲である。沖縄でも、かつて出来事は歌になり、伝えられた。「安里屋ユンタ」に登場するクヤマという女性(一七二二―九九年)は実在の人物で、竹富島《たけとみじま》には、今もその生家が現存している(歌の内容は、琉球王府時代、竹富島に赴任した王府からの役人が、美女として名高かったクヤマに、赴任中だけの現地妻になららないかと声をかけ……という出来事に由来している)。竹富島に行った際に撮影してきた、クヤマの生家の写真を見せながら、こんな話をする。

「人間は、文字で歴史を書き残す以前、こんなふうに語り継いだり、歌にしたりして、歴史を残そうとしてきたわけだね。化石の場合は、生き物が残そうと思ったわけじゃなくて、結果として残った、生き物の歴史の証拠なわけなんだけど」

認識の飛躍

もう一度、僕の家族の系譜を見てもらう。「海―満―襄―重臣……」この名のつながりで、気づくことはあるだろうかという問いを出す。

「漢字一文字がルール?」

「でも、おじいちゃんのところは違っている」

そう、我が家の名前を並べると、命名ルールの受け伝えとルールチェンジがあることがわかる。

「進化の歴史にも、同じように生命のかたちの受け伝えとルールチェンジがあるよ」と言って、僕は机の上に一~七番とそれぞれ番号のついた七つの化石をバラバラに置いた。学生たちに紙を配る。席を離れて、「どの番号の化石からでもいいから、実際に手に取ってみて、なんの化石か正体をあててごらん」と学生たちに課題を説明した。思いつく正体があったら、予想を紙に書いて僕のところに提出する。みなが提出したところで、出された予想を黒板に書き出し、その正体について解説していく、という授業の流れである。

机の上に置いた化石の正体について、先に明かすと、番号の若い順から、①珪化木《けいかぼく》(すっかり石のように硬くなった木の化石)、②ウニ、③哺乳類のうんこ、④魚(ブラジル産、ひどく細長い魚)、⑤サメの歯、⑥ティラノサウルスの脳(鋳型、石膏レプリカ)、⑦草食恐竜の胃石となる。この順番には、僕なりの理由がある。化石とは何かということを考える順番になっていることが一つ。もう一つは、動物の進化による、体づくりのルールの受け伝えとルールチェンジについて、ごくおおざっぱな流れを紹介するように配置してある。これらの化石も、自由の森学園時代から少しずつ集めたものだ。

学生たちが、机の上の化石を手に取り、友だち同士で、なんだかんだと言い合っている。

「これ、全部が化石？　それとも、一部が化石？」

「うんこも化石っていうの？」

僕に質問をする学生もいるが「ヒントはみんな化石だっていうことだけ」と、すげなく返す。

この課題は「化石とは何か」を明らかにするのが目的なわけだから。予想を書いた紙が集まったら、書かれたものを番号ごとに、黒板に書き出していく。正解が含まれているものもあれば、まったく含まれていないもの（例えば⑥）もある。

珪化木は、割と正解者が多い問題だ。水中で転がったものだろう。角がとれて丸っこくなった、手のひらサイズの木の幹の部分化石だ。よく見ると木目が残っているので木だとわかるのだけれど、この木目に注目しすぎると、その模様が何か別のものに見えてしまって正解を誤る学生もいる。

「木もね、こんなに石みたいに硬くなるんだね。さっき、僕が珊瑚舎スコーレでの、化石って「石みたいになったもの」と思っていたという高校生の話を紹介したよね。ではね、化石って、いったい何年前のものから化石っていうと思う？」

そう言って、僕は黒板に、選択肢を書いた。

「一〇〇年前」「一〇〇〇年前」「一万年前」「一〇〇万年前」「一億年前」

それぞれの選択肢で、該当すると思う学生の手をあげてもらう。結構ばらける。そして、「一〇〇年前」の選択肢に手をあげる学生が何人もいる。

実は珊瑚舎スコーレでの化石のやりとりでも、同じように「一〇〇年前から」というふうに思っている生徒の存在を目にして、僕はびっくりした。「一〇〇年前といったら、僕の祖父母の生きていたころじゃないか」と。「例えば、僕のばあちゃんが小さいときに、食べ残しの魚の骨を地面に埋めたら、それを化石というの？」と。授業の中で、改めてこんな指摘をすると、生徒や学生たちも、「そりゃそうだ」と笑う。ただ、この「一〇〇年前から」という回答は、かなり重要な意味をもつのじゃないかとも思う。それは、人間の時間感覚は、自分の寿命を基準にしているということだ。人間にとって、生得的な常識は、「一〇〇年以内のことは感覚としてわかる。でもそれ以上は感覚としてわからない。それ以上は、みんな「昔」ということではないかと思ったのだ。一方で、そうした人間の常識の枠を超えるしくみを、人間は考えだそうともしてきた。それがバヌアツ

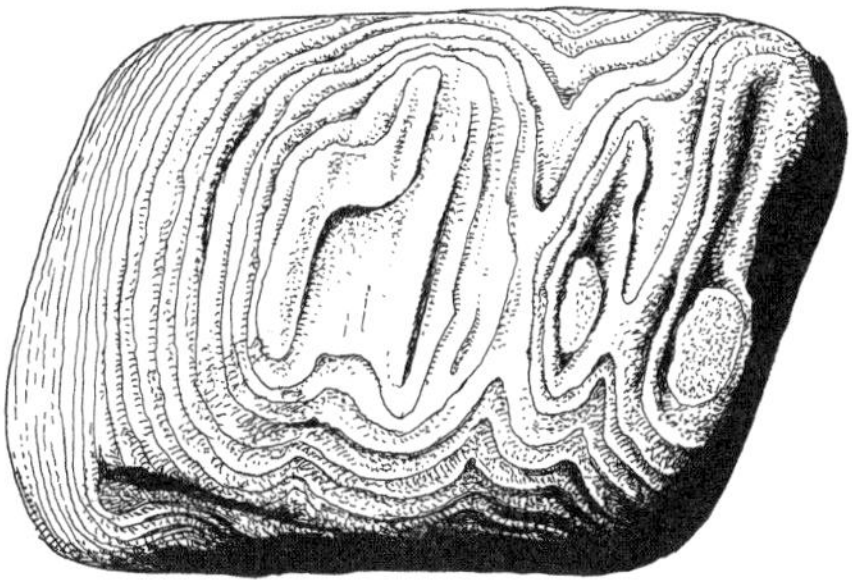

珪化木

の結婚式で一五世代前の先祖まで語る習慣であり、出来事を歌にする各地の風習だったと思う。科学もまた、そうした人間の常識を超える技だ。ただ、僕ら教員が生徒と話をするときには「基本、一〇〇年以上前のタイムスパンでの話を理解するのは生徒にとってきわめて難しい」ということを理解しておく必要があるように思う。僕ら理科教員だって、「一〇〇万年前」とか「一億年前」という言い方に、単に慣れているだけだ。

これと同じことを、父が化学分野に関して言っている。例えば父が非常勤講師をしていた高校で、「石油、砂糖、豚肉、ガラス、一〇円玉のうち、原子または分子に関係ないものをあげなさい」という質問でアンケートをとったところ、正解者（つまり、すべて関係しているという答え）はわずか一〇%だったという（アンケートをとったのは高一生で、しかも勤務校は進学校だった）。「物質は原子・分子でできている」ということを、中学以来、化学の授業では前提としている。しかし、生徒たちの実感を問うと、こんなアンケート結果になるのだ。生徒の言葉を借りれば「ガラスはすっかり固体だから原子・分子に関係ない（粒でできているとしたら、隙間があるはずだけど、ガラスには隙間があるようには思えない）」ということになる、とも父は書いている。だから、モノを原子・分子で考えることができるようになるには、日常の感覚からの「飛躍」が必要だと父は指摘する。「原子は頭で納得するものではなく、ハートで直感するものなのである。説明をすればするほど迷路に入ってしまう。むしろ直感的な学習を組織したほうがいい」。そう、父は書いている。

科学的思考というのは、一つひとつの事実を積み上げていく論理的思考というふうに思われているけれど、どこかで思考を飛躍させなければ、真実に近づけないことがある。化石の授業で僕が生徒たちに言いたいのは、生物の歴史というのは、人間の感覚では基本的にはわからない、思考を飛躍させて、想像して、なんとなくつかめるような、そんな時間感覚の中の出来事であるということだ。

埋まっている環境にもよるけれど、木の成分が周りの地質成分と置き換わり、石のようになる変化は、数十年から数百年という驚くべき短時間に起きる場合もあることが最近わかってきている。「一方で」と言って、持参してきた買い物籠の中から、ハンドバーナーと、木片を取り出した。木片といっても、一〇〇万年以上前の化石だ。自由の森学園の近くで出土した、メタセコイアの材の化石なのだ。真っ黒な材は、化石ではあるけれど、バーナーで火をつけると、ちゃんと燃える。まだ、すっかり石にはなりきっていないものだ。化石には、石のようになっているものもあれば、そうなっていないものもある。

「珊瑚舎スコーレの生徒たちとのやりとりで、じゃあ、いったいいつから化石って呼んでもいいの？　と思って、調べたらね、化石には、実はいつからっていう定義はないことがわかって、僕もびっくりした」

「えっ？」

「だから、一〇〇年前の魚の骨を化石って呼んでも、まちがっちゃいないのかもしれない。ただ、おおよそ一万年以上前のものから化石と呼ぶっていう慣習はあるみたいなんだけどね」

　このあと、化石の正体を次々に明らかにしていく。③は、見たまんま、ほとんどの学生がうんこだと回答している。それでも、「これはうんこの化石だよ」と言うと、あらためて、驚いたような声をあげる。「うんこもあんなに硬くなるの?」「えっ、うんこ、触っちゃったよ」と。うんこの場合も、珪化木と同じく、うんこを構成した元の物質は周囲の土砂の成分と置き換わっている(だから、触っても大丈夫……)。ただし、このことから示したいのは、うんこも化石に含まれるということ。つまり、生き物本体ではない化石もあるということだ(足あとや巣穴なども含めて生痕化石と呼ぶ)。これから、「化石は地層中に埋まった生物の遺骸または遺物」であるという定義が明らかになる。この補足にあたるのが、⑦の問題だ。⑦は一見、ただの石のように見えるけれど、「ただの石」は化石とは呼べない。⑦は生物の遺物(恐竜の胃石)であるから、化石なのだということで、改めて化石の定義を確認する。

　このほかの化石は、その正体を明かしながら、「口と肛門の分離」(ウニ)、「体の前後の区別」(魚)、「歯の起源」(サメの歯)、「陸上への進出」(恐竜の脳)という、脊椎動物の進化の概要に沿って、体づくりのルールの受け伝えとルールチェンジについて紹介をしていった。この日、教室には、クイズに使った化石以外の骨も持ち込んでいた。例えば歯の起源の話では、サメの歯化石のほかに、サメのあごの骨や、サメの干物(サメは体中に、歯の起源になった鱗《うろこ》がある)や、ノコギリエイの「ノコギリ」(頭の先に突き出る吻《ふん》と呼ばれる細長い部分に、歯と同じ起源の突起が鋸《のこぎり》の歯状に並んでいる)

を関連教材として使用した。こんな授業なので、教材をしまい込んだザックを背に、同じように教材を詰めた買い物籠を手に、僕は教室へ向かうことになる。

学生たちにかけられた魔法を解くには、これくらいの手間暇が必要だと思うから。

3

物語を紡ぐ骨——モノとコトから語る場ができる

物語の始まり

大みそか。生まれ故郷の館山の海岸で、風に吹かれながら骨を探してうろつく。ひょっとして、なにか学生たちにかけられた魔法を解くための新たなピースが落ちていないかと思うから。そんなふうに海岸をうろつきながら思い出していたことがある。半年前の夏休みのある日、突然、東京にいるカイから僕のところへ電話がかかってきたな……と。

「沖縄にサンプリングに行きたいんだけど、そのとき、沖縄にいる?」

カイからかかってきたのは、そんな電話だった。日程表を開いて、いついつだったら会えるけど、と予定を伝えた。

「でも、何のサンプリングに来るの?」

「メクラヘビ」

「メクラヘビ?」

思いもかけない答えに、ちょっとびっくり。メクラヘビは、日本最小のヘビだ。見かけはヘビというよりミミズである。体長も一〇センチあまりだし、石をめくると、その下にいたりするのもミミズっぽい。でもよく見ると体表には鱗《うろこ》がある。「メクラ」という名がつけられているけれど、鱗の下に小さな眼があるのもわかる。なにより、見ていると、時折口先からチョロリと舌を出す。こんなに小さなヘビが何を食べているのかといえば、アリやシロアリの幼虫などだ。このやりとりのしばらく前のこと。那覇市内の公園で倒木を見ていたら、倒木に巣くっていたアリがあわてふためいていたのに気がついた。なんだろうと思ってよく見ると、巣内にメクラヘビが入り込んでいたのだ。アリのサイズに自分を同化すると、なんだかメクラヘビが街であばれる怪獣のよう。その様を写真に撮ってブログにアップしたのだけれど、これをカイが見ていたらしい。それで、僕のことを思い出して電話をしてきたということのようだ。

メクラヘビは日本以外にも亜熱帯、熱帯に広く分布していて、小さな体であることから、人間の移動にともない植木などに交じって、あちこち持ち込まれて定着したものと考えられている。沖縄で見られるものも、移入種ではないかというのが定説だ。なにしろこのヘビは、単為生殖といって雌だけで卵を産み増えることができるので、一匹だけでも、新たな移入地に定着することが可能なのだ。

カイは、自由の森学園の卒業生だ。ただ、僕が自由の森を退職したとき、カイはまだ中学一年で、直接、顔を合わせたことはなかった。また、カイは在学中、とりたてて、ホネホネ団と関わりあいがあったわけではない。ただし、小さなころから生き物好きだったカイは、自由の森卒業後、大学の獣医学部に進学した。カイと僕が顔見知りになったのは、カイが大学生になってからのことだ。おもしろいもので、在学中に顔見知りではなかったといっても、やはり同じ場のニオイをかいでいた者同士ということか、初めて会ったときから、カイにはなんとなくなつかしさを感じた。もっとも、会うようになったとはいっても、そうちょくちょく顔を合わせたわけではないのだけれど。カイは大学卒業後、骨のことを研究するために、東京大学大学院で、動物の解剖学を教える有名な遠藤秀紀先生の門下生となる。咀嚼筋《そしゃくきん》の研究で学位を取り、現在は都内に居住し、私立大学の非常勤講師をしている。

メクラヘビの骨の特性や、発生状態を研究してみたい、とカイは言う。それにしてもと思う。沖縄にはリスもタヌキもキツネもいない。骨取りには不向きな土地だといえる。しかし、沖縄には沖縄ならではの骨取りの対象がいる。それがメクラヘビであったりするわけだ。電話がかかってきてからしばらくして、カイが実際に沖縄にやってきた。一緒にリョウ君もいる。リョウ君はカイの大学院時代の同級生で、以前、カイの紹介で、一人で沖縄に来たこともある青年だ。

「メクラヘビ、捕れた?」

大学に顔を出したカイにそう聞いてみる。僕のところに顔を出す前に、カイたちは、フィールドに出かけていたからだ。夏の沖縄。炎天下、丸一日。二人して石を起こして、ようやく一匹見つけたというのが、その成果。うわっ、そりゃ大変だと思う。僕はこれまで何度かメクラヘビを見たことがあるけれど、いずれも探そうとして見つけたわけじゃなくて、石をめくったら、たまたまそこにいたというシチュエーションばかりだ。

「沖縄に来る前は、一度に何匹も手づかみできる、みたいなイメージがあったんですけど」と言って、カイが笑った。

「メクラヘビは、薄く広くいるっていうイメージかもなあ」

「それ、途中で友人に電話をして聞いたら、同じことを言っていました。いっぱい捕れたらCTとかで画像を撮って、それを三次元処理して、と思っていたんですけど。あと単為生殖をするヘビだから、卵を取って発生も見たいなと」

CTとはX線を全方向から当て、人体の輪切り画像を撮影する装置のことだ。ただ、それ以上のことは、カイの研究方法の話が専門的すぎて、すぐには理解できない。

「ゲッチョ、メクラヘビの骨格標本、前に作ってましたよね」

カイが言う。メクラヘビの死体を、入れ歯用洗浄剤を使って、全身骨格にしたことがある。第二回ホネホネサミットが開かれたとき、僕は参加することができなくて、このメクラヘビの骨を含んだいくつかの骨の標本を展示用に送り出した。カイはそれを覚えていたのだろう。あまりたいした標本とはいえないけれど、取り出してみる。

ところで、リョウ君のほうは、何を研究しているの？　と声をかけた。

「僕はカイギュウです」

「カイギュウ？」

「ジュゴンの形態を調べてみようと思って」とのこと。カイギュウとは漢字で「海牛」。海生になった哺乳類の一群で、ジュゴンやマナティ、それに絶滅してしまったステラーカイギュウなどの仲間のことだ。リョウ君は、美ら海《ちゅらうみ》水族館で飼育されているマナティの口のところを撮影してきました、とスマホの写真を見せてくれた。そこで、理科室に置いてある、ジュゴンの頭骨のレプリカと、西表島《いりおもてじま》の海岸で拾ったバラバラになったジュゴンの骨を取り出した。海岸で拾ったジュゴンの骨は、昔の人が食べて貝塚に捨てたものが、波で洗い出されたもの。肋骨なども途中で折れた部分骨が多い。

「マナティ、けっこう鳴くらしいんです。で、アメリカのグループが、その声の出し方の研究発表をしています。だからジュゴンはどうなっているんだろうって、興味をもっているんですよ」

リョウ君は、そう言って、ジュゴンの頭骨のレプリカをいじっている。

「ああ、後頭部や耳のあたりの骨のつなぎがゆるいなあ。ヒゲクジラの頭骨も、成長しても癒合しないから、似ていますね」

リョウ君は、もともとクジラの骨が研究対象だ。

この日の夜、もう一人、骨友だちを呼んで、四人で会食をした。僕の骨友だちであるスギモト君がメクラヘビを一時、飼育していたことがあったのを思い出し、その情報をカイに伝えてもらおうと思ったのだ。スギモト君が合流し、しばらくメクラヘビをどんなところで見つけたことがあるかとか、メクラヘビを飼育していたときの方法とかを話してもらう。

「基本、森の中では見つけたことはないですね。だいたい見るのは、側溝の中とか、地面に潜れないところ。典型的な生息環境といったら、公園とか、耕作地と二次林がパッチ状にあるとことかの転石の下。それも面でべたっと土についているようなやつ。だからトタン板はいまいちで、ベニヤ板のほうが見つかる感じ」

スギモト君からは、探し方について、そんなアドバイスが語られる。しばしこんな話をしていたら、スギモト君が、ケータイを取り出し、「そういえば、この前、こんなのを見つけたんです」と写真を僕らに見せた。海岸の砂浜に転がる、大型の動物の骨の写真だ。これを見て、リョウ君が「あっ」と小さく叫んだ。

「この前、マオ君から同じ写真を見せてもらったんですが、その出所がわかりました」と。

第一回ホネホネサミットで会場をうろついていた怪しい高校生、マオ君は、その後、琉球大学に進学して、海の魚の骨に手を出すようになり、すっかりその魅力にはまってしまう。そして、学部卒業後は、もっと専門的に魚を研究するために、高知大学の大学院に進学したのだけれど、いつのまにかスギモト君やリョウ君たちとも、骨に関するネットワークでつながっていたのだ。

「これ、やばいって。珍しい種類ですよねってマオ君が言っていて。この頭骨は、コブハクジラかなあ」

クジラの骨の研究者、つまりはクジラ屋のリョウ君が言う。コブハクジラ？　確か、とっても珍しいクジラの仲間じゃなかったっけ。下あごに特徴的な歯があるとかなんとか。

「そうなんですよ。下あごを探したんですが、見つからなくって」とスギモト君。

「これはオスの頭骨ですね。同じ仲間のアカボウクジラとは、形が違っていますね」

写真であるのにもかかわらず、リョウ君はたちどころに、その骨の特徴を読み解いていく。

むやみにメクラヘビを追いかけるカイにせよ、クジラの骨にやたら詳しいリョウ君にせよ、とにかくすごい。彼らは本格的な骨の専門家だ。そんなリョウ君とカイは二人とも、大学の歯学部に勤めている。最近の歯学部は、国家試験に合格するのが厳しくなったこともあって、教える側はなかなか大変らしい。

「学生たちが、よくコスパ、コスパって言うんですよ。あと、国試に出るんですかとか」

コスパ。コストパフォーマンス。学校という場とコスパという言葉が、僕の中ではすぐには結びつかなかった。

「メクラヘビを探すのは、コスパ悪いよねえ」と言って、カイたちとは笑いあったのだが。

学びとコスパ

スギモト君のメクラヘビ探しのアドバイスを手がかりに、翌日、自分でも那覇市内の公園を歩き回ってみる。石と見ればひっくり返し……を一時間半ほど、ひたすら繰り返すうちに、とうとう、ブロックの下で一匹、メクラヘビを見つけ出す。さっそくカイに電話だ。

「えーっ、すごいっす。昨日の夜、夕飯の後、リョウ君が、道を横断しているのを一匹見つけましたけど、今日は朝から二時間やって、今のところゼロです」

電話口から、そんな声が聞こえてくる。さらにその晩、今度はカイから電話がかかってきた。

「今日は一匹も捕れませんでした」

うーん、なかなか大変である。カイの勤めている大学の学生は、なにかというとコスパを口にするというけれど、そのカイのやっていることは、コスパ的にはどうなのだろう？　東京から航空運賃を払って沖縄までやってきて、一日フルに探し回って、メクラヘビを一匹も捕まえられなかったりするわけだから。カイが口にした「コスパ」ということがひどく気になりだす。学びとコスパの関係やいかに。考えてみる。

確かに、学びの目的が、あるきっちりしたこと、例えば資格の取得とかが目的だとしたら、最短の時間で、最小の労力で資格を取得できたら、「得」だと思うのが人情だ。僕は車の免許は合宿でとったけれど、なんとか試験に一発で合格したいと思っていたな、と思い返す。技術がほんとは伴っていなくても、試験のそのときだけ乗り切れればそれでいいからと。自分でも思い当たる節はあるけれど、これは逆にいえば、はっきりした目的が設定されてしまうと、その目的を最短で達成しようとする学びが起動されてしまうということか。

「説明はいいから、結論を教えて」。授業の中で、そんな声を聞くようになったと、どこかで聞いた覚えもある。コスパのいい学びというのは、流行なのだろうか。

カイが沖縄でメクラヘビを探している間、僕のほうは沖縄から東京へと飛び立った。東京と長野で、それぞれ自然との関わりについて話すイベントに招かれたのだ。長野では、子どもから参加できるイベントだったので、授業と同じように骨を教材にして話をする。

「どうやって骨を取るようになったのですか？」

講演後、そんな質問が会場から投げかけられた。

「最初は取り方がよくわからなくて。自由の森学園は新設校で、理科室に標本がありませんでした。それに、おもしろい授業をしなくちゃいけないと言われて。それで、自分で教材をつくってみようというのが始まりです。食堂の人に頼んで、ブタの生首を手に入れて、理由をいわずに家庭科室を借りて鍋で煮てみたり。あと、野ウサギがほしいなあと言ったら、地元出身の用務員さんが「そうか、そうか」と言ってくれたんですけど、持ってきてくれたのが頭を弾で打ちくだかれたウサギだったり。交通事故で死んだタヌキを、意を決して運んできて埋めたら、その上に校舎が建ってしまったり。そうこうしているうちに、生徒が一緒にやりたいと言い出してくれたんです」

ホネホネ団に至る、長いながい経緯をかいつまんで話す。講演会には、自由の森の卒業生も何人か参加してくれていた。「アザラシの解剖やったよね。あれ、臭かったなあ」と言ったのは、ユーナだ。彼女は今、「グローバル事業」だの「コンサル」だのみたいなネーミングの事業に関わっているらしい。動物園で飼育係をしているレイコや、小学生の息子を連れてきてくれた、クラスの生徒だったカオリの姿もある。

沖縄に戻ると、さっそくカイに電話をして、メクラヘビ探索のその後の首尾を聞いてみる。

「今日、リョウ君が死体を一つ見つけてくれて、僕が生きたのを一匹見つけました。合計で生きたのが四匹、死体が一つです。なかなか難しいです」

これが合計五日間、二人がかりで探した成果だものね。

「それ以外に、僕もリョウ君も一匹ずつ、逃げられているんですけど。急にはねたりするんで。こいつは、奇妙な生き物ですね。それと、捕れたのは、みんな夜です。昼間はまったく見つけられていないです。どこにいるのか、よくわかりません。ただ、見つけられたものはみんなコンクリのブロックの下にいましたね。夜、車のライトで照らしながら、畑のわきのコンクリートをひっくり返すと見つかるっていう感じです」

効率はきわめて悪い。それでも、カイはメクラヘビを探している。自分でも、そういうことをやっている気がする。でも、そういうことって、どんなことなんだろう。

「メクラヘビ」「ジュゴン」「コスパ」「骨取り」

カイやリョウ君とのやりとりの中で出てきた言葉を反芻してみる。

メクラヘビ

カイに会うまで、メクラヘビについての興味を全然もっていなかった。なので、メクラヘビについては知らないことだらけ。そこで調べてみることにする。

そもそもヘビの祖先は、半地中性であったという説が有力だと、『爬虫類の進化』(疋田 二〇〇二)には書かれている。ヘビは体が長く脚がない。それだけでなく、中耳と鼓膜が退化しているといった特徴もある。こうした特徴は、地中生活を通じて進化してできたと考えられているわけだ(異論として、ヘビは海洋に進出することで進化したという説もあるという)。ヘビは眼もよくないが、これも、一度かなり退化したあと、二次的にもう一度発達してきたことを示唆する特徴を備えていると考えられるそう。ほかの陸上脊椎動物では、水晶体をひっぱり厚みを変化させてピントを合わせるが、ヘビでは水晶体を前後に動かしてピントを合わせていて、これは、ピントを調整する能力を失ったあと、再度視覚を発達させたためであろうということなのだ。

分類体系を見ると、爬虫類のなかでヘビ亜目は、メクラヘビ下目と、そのほかのすべてのヘビ(アオダイショウもニシキヘビもコブラもウミヘビも含む)が所属している真蛇下目に分類できるとある。つまり、メクラヘビは、ほかのヘビとは大きく違ったヘビなのだ。

論文(Ineich et al. 2017)も読んでみる。メクラヘビにも多くの種があるが、沖縄にも分布しているのは、このうち、ブラーミニメクラヘビだ。

論文にはブラーミニメクラヘビについて、次のようなことが書かれている。「花鉢蛇とも呼ばれる、ミミズ様のヘビである(しばしばミミズに間違えられる)。体長は一〇〜一三センチ。体重は〇・七五グラム」「同属の仲間で最も成功した種である。すべての大陸に広がっているが、そのほとんどは近年になってのことである」「二種かそれ以上の同属種のハイブリッドのようだ。いくつか、またはすべての親となった種は現在、絶滅したものと考えられている」「主にシロアリやアリの柔らかな部分を食べる。時にはミミズやイモムシも食べる」「おそらくインドかスリランカが原産である。そして周辺の国々にも広がった。しかし近年、さらに多くの地域に移入された。それは西インド諸島、キューバ、日本、オーストラリア、インド洋の島々、中東、アフリカ、マダガスカル、中米、北米といったところだ（南米にはまだ達していない）」「テニアン島の考古遺跡の、おそらく人が到達前の地層から、メクラヘビとみなせる骨が見つかった」。

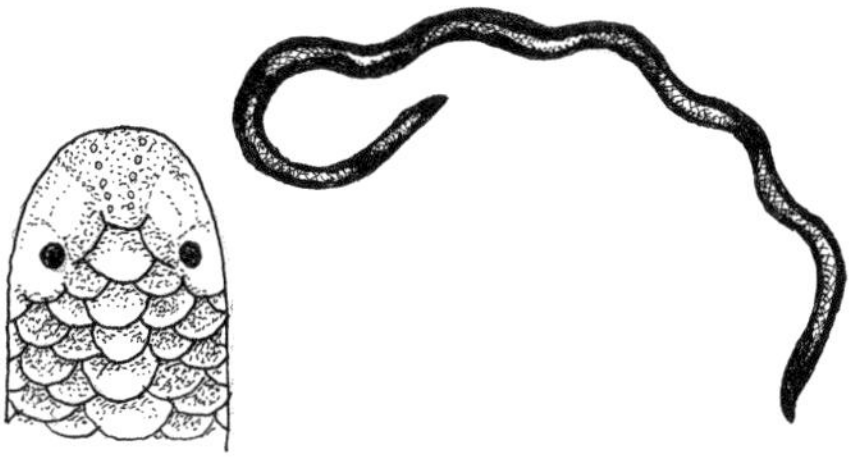

ブラーミニメクラヘビ. 左は頭部拡大図

このテニアン島の遺跡から見つかった骨が、ブラーミニメクラヘビのものかどうかというのが、この論文で議論している焦点だ。グアムやサイパンなどのマリアナ諸島は、もともと無人島であり、そこに現在チャモロと呼ばれる人々が移住した。見つかったのは、そうした人類到達前、無人島時代だった地層からのメクラヘビ類の骨だ。発見当初は、ブラーミニメクラヘビの骨と同定されたが、本当にそうかどうかは断定できない。現在、マリアナ諸島にはブラーミニメクラヘビが分布しているけれど、これは人為的に持ち込まれた可能性が高いからだ。つまり、遺跡から見つかったのは、在来種の未知のメクラヘビの仲間の骨だった可能性があり、それが人類到達後、絶滅してしまっているかもしれないわけ（もっとも、ブラーミニメクラヘビが海流などに乗り、

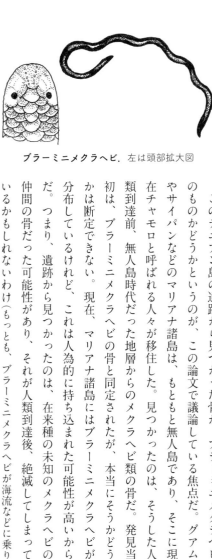

自然分布した可能性もゼロではないのだけれど)。ちなみに、はっきりとブラーミニメクラヘビと同定できる標本は、一八一九年にグアム島から採集されたものが残っているし、ハワイでは一九三〇年以前の記録があるとされている。こんな内容の論文だ。しかし、ほとんどミミズのサイズしかないメクラヘビの背骨なんて、よくも地面の中から見つけ出したものだと思う。

第一回ホネホネサミットのとき、「なんの骨を拾ったときが一番うれしかったか」と僕は問われた。そのときに頭に浮かんだ答えがジュゴンだった。「僕は人と関わる骨に興味があるから」と。狩猟採集時代の遺跡からは、さまざまな動物や魚の骨、貝が遺物として出土する。出てくる状態はバラバラになったものだし、人によって破損されているものも多いのだけれど、遺跡から出土する骨は、強く僕を引きつける。それらは動物の骨として、それぞれの動物の〝くらし〟と〝れきし〟を表していると同時に、当時の人の〝くらし〟も表すものだからだ。

メクラヘビの論文を読んでいて、「遺跡」という文字が目に入る。加えて、カイとともに沖縄にやってきたリョウ君とは、ジュゴンについてのやりとりも交わした。なんだか、無性にジュゴンの骨を拾いに行きたくなってしまった。

ジュゴンの骨は、拾いに行ったからといって、必ず拾えるとは限らない。何しろ、海岸を歩いて、偶然、遺跡から洗い出された骨を探すのだから。カイのメクラヘビ探しと同じように、「コスパの悪い」「骨取り(骨拾い)」である。そう思うと「だから、やめておこうか」と、僕も思ったりするのだけれど、今回は「それでも、やってみよう」と僕は思った。

ジュゴンの骨が時に見つかる海岸は、西表島にある。那覇から石垣まで飛行機に乗り、さらに船で西表へ。それなりの時間と費用がかかる旅程になる。

ジュゴンを目指して

カイたちが沖縄に来てから、約一か月あまりがたった週末。どうにか一日、予定が空く。朝の始発の飛行機で石垣島に発つ。石垣空港は雨で煙っていた。タクシーを飛ばし、港に着くと、高速船に乗り換え、西表島に向かう。幸い、いつのまにか、雨はやんでいた。

レンタカーを駐車場に置き、浜に降りる。潮はだいぶ引き始めている。砂浜を歩きながら、漂着物に目を向ける。しばらく前、台風が来ていたので、ちょっと期待をしたのだけれど、打ち上げられていたものに、これといったおもしろいものは見当たらなかった。

しばらく砂浜を行った先に、お目当てのポイントがある。浜の背後に、低い土の崖がある。崖の背後は森だ。その崖をよく見ると、白い貝殻がたくさん土砂に含まれている。貝塚なのだ。貝殻だけでなく、骨も混じっている。昔の貝塚が、波で洗われ、一部が崖状となって露出している場所なのだが、波による崖の崩壊が一段落したらしく、崖がつる草でおおわれるようになっていた。つる草の繁茂する隙間からのぞく、わずかな崖の露出面に目を向けると、そこにイノシシの下顎骨があらわになっているのがわかる。長く突き出た、湾曲した犬歯が特徴的だ。崖の周りには、ほかにもイノシシの首の骨や指の骨が散らばっているのが目に入る。平たく細長い骨も転がっていた。ウシの肋骨の破片だ。また、大型の魚の上顎骨も落ちている。表面にはうっすらと藻が生えていて緑色がかっている。しかし、これだけ大きな魚の骨ってなんだろう。すぐには答えがわからない。ただ、以前、市場で買って骨にしたベラの仲間の上顎骨に形が似ている。すると、大型のベラである、メガネモチノウオ、通称ナポレオンフィッシュの上あごだろうか(のちに、魚の骨を研究しているマオ君とやりとりして、ナポレオンフィッシュそのものであることがわかった)。小さな魚の背骨はいくつも落ちているが、さすがにこれだけだと、僕には何の魚か、わからない。

今度は、潮の引いた波打ち際を歩く。石がごろごろしている。大型の二枚貝、シャコガイの殻が散乱している。これも貝塚から洗い出されたものだ。ほかにもサラサバテイやラクダガイといった、これも大型の巻貝の殻が散らばっている。巻貝には、中の肉を取り出すために、殻の一部を欠いたものが多い。

波打ち際に沿って、洗い出された骨を探すが、なかなか目に留まらない。ややあって、末端の壊れたウシの脚の骨に気づいた。人間でいえば、手のひら、足の甲の部分にあたる骨で、中手骨、中足骨と呼ばれる部分だが、ウシの場合、砲骨とも呼ぶ。この貝塚からは、素朴なレンガ色の焼き物のほかに、陶器のかけらも出土する。考古学には詳しくないが、どうも四〇〇年ほど前の遺跡ではないかと思う。このころは、すでにウシも飼われていたから、ウシの骨が出土してもおかしくない。以前、この場所で拾い集めた骨を見返したら、ごく少数だが、ウマの骨も混じっていた。一方でイヌやヤギ、ニワトリといった動物の骨はいまだ見たことがない。大きな臼歯が一つ、

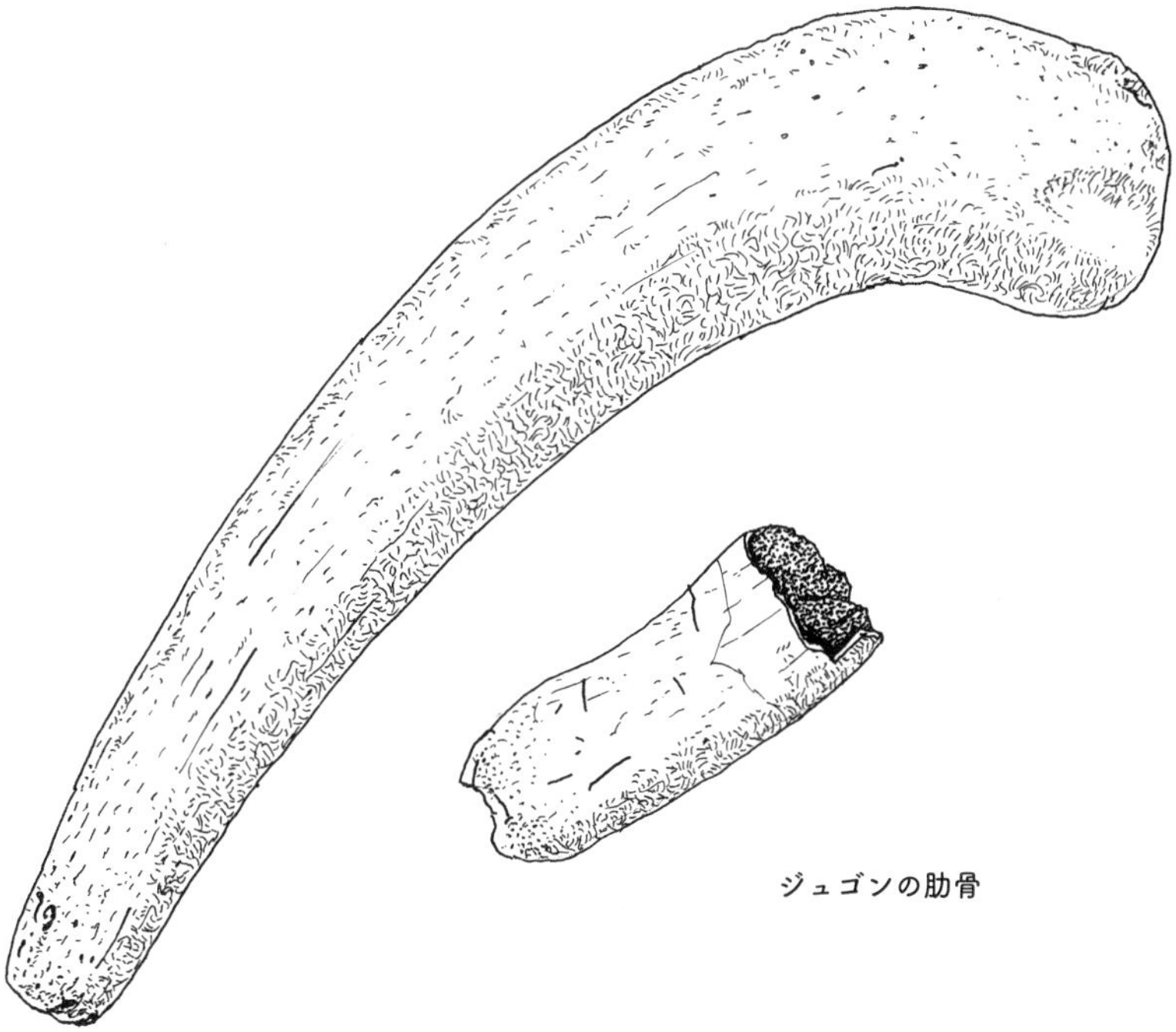

ジュゴンの肋骨

むき出しで転がっている。ウシのものだ。そして、波打ち際のところに転がっている、ややカーブした骨が目に入る。手に持つと、ずっしりした重みがある。ジュゴンの肋骨だ！

とりあえず、目的をゲット。遺跡からはバラバラになったジュゴンの骨が出土する。このうち、最も頻繁に見つかるのが肋骨だ。少し不思議に思うのは、背骨がほとんど見られないこと。食べられるときに、原型をとどめないほど、壊されてしまうのだろうか。

波打ち際を離れて、もう一度、崖の周囲をていねいに見直していく。イノシシの肩甲骨があるのがわかる。小さい。ウリ坊のものだろう。さらに目を土の表面に走らせていく。小さな下あごが目に入る。歯先がとがっている。すわ、ヤマネコか？

ただ、よく見ると、下あごの骨が太すぎる。どうやらこれもウリ坊だ。イノシシには鋭い犬歯がある。土を掘り返し、餌を探すことに利用され、はたまた、敵に襲われたときは身を守るすべともなる歯だ。遺跡からは、半月型にカーブした犬歯が、あごからはずれた状態でも出土するのだけれど、このはずれた犬歯の根元を見ると、きちんとした歯根がないことに気づく。リスの切歯は、一生涯伸び続ける歯(常生歯)なのだけれど、イノシシの場合は、犬歯が常生歯なのだ。このことは、当たり前のような気がしていたのだけれど、一生涯伸び続ける犬歯というのは、動物のなかでとても珍しいものなのだと書かれた論考を読んで、びっくりした(田畑 二〇一八)。いろんなところに、「知ってるつもりで知らなかったこと」がある。ところで、イノシシは犬歯が常生歯であるので、犬歯の根っこを収めるスペースが骨の中に広く必要となっている。だから、イノシシの下あごは、ネコの下あごに比べると、ずっと太い……というわけなのだ。西表島といえば、イリオモテヤマネコが有名だけれども、ここからは、まだヤマネコの骨を見つけたことがない。

西表島で、大正生まれのおばあに、昔の話を聞いたことがある。彼女が小さいとき、イノシシ猟のワナにヤマネコがかかって、それを食べたことがあるという話だ。ただ、遺跡の時代は、どうやらイノシシはワナではなくて、イヌで追い詰め、槍を使ってしとめていたようだ。こうした猟だとヤマネコが混獲されることはないだろう。だから遺跡からヤマネコの骨が出てこないのかなとも思う。ともあれ、子イノシシの歯先が、こんなにとがっていることを、初めて知る。イノシシの大臼歯が骨からはずれた状態で、いくつか落ちている。こうした小さな骨に目を凝らしていたら、そのうち、崖下に転がっている、白く細長い骨が目に入る。もう一本、ジュゴンの肋骨を見つけたのだ。

車で島をめぐり、もう何か所か、貝塚の痕跡が残る海岸で骨を探す。そのうち二か所では何も見つけられなかった。残る一か所で、いくつかの骨を見つける。ウシの骨のかけら。ウシの臼歯。そしてウミガメの腹甲《ふくこう》の骨。ただ、ウミガメの骨は現代のもののようだ。そして、ジュゴンの肋骨の小さなかけら。

これで時間終了となった。再び石垣島へととって返し、その日の最終便で那覇へと戻る。目的のジュゴンの骨は拾うことができた。ただ、それは今までも拾ったことのある肋骨だ。時間とお金をかけて得た成果として、間尺に合うのか合わないのか。それは、この一日の成果だけでは、判断ができないことだ。

ジュゴンと人の〝れきし〟

ジュゴンはクジラと同じく、くらしの場を再び海に替えた、もともと陸上の哺乳類を先祖にもつ動物だ。

ところで、ジュゴンとクジラでは、その先祖が異なっている。今のクジラの姿から、その先祖が四つ脚で陸上を駆け回っていた姿を思い浮かべるのは難しい。ところが化石の証拠から、かつ

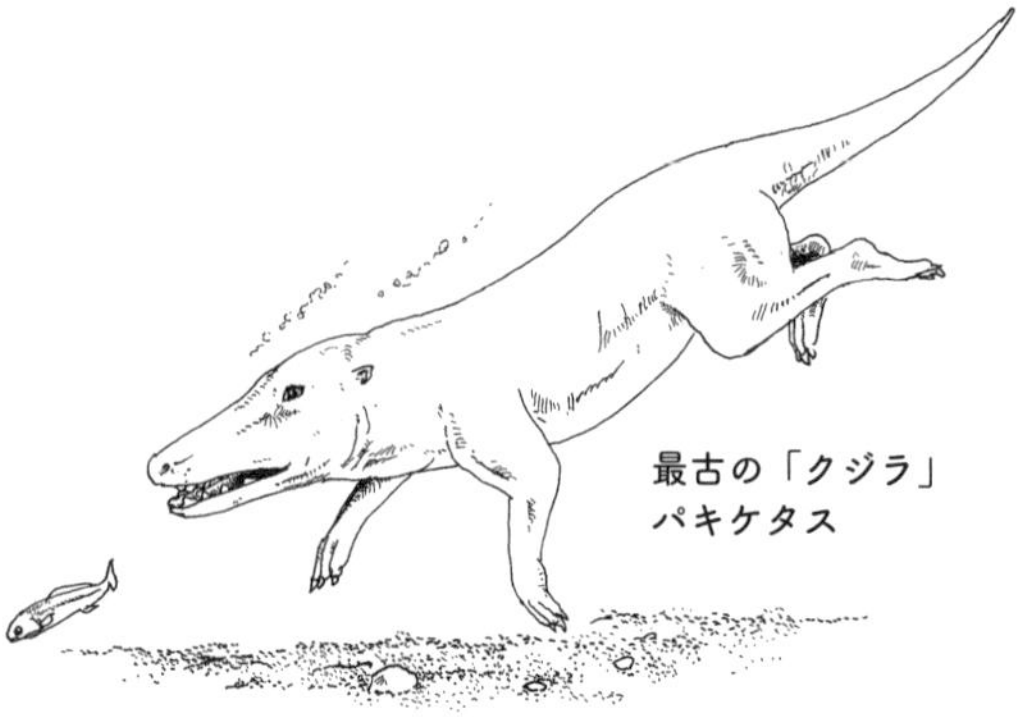

最古の「クジラ」
パキケタス

てクジラの先祖に後ろ脚があったことは確実である。「最古のクジラ」とされているのは、パキスタンから化石が発見された、パキケタス類だ。復元図を見ても、四本脚のこの動物がにわかにクジラとは思えないのだけれど、耳骨の形態にもとづいてクジラと同定された（村山編 二〇〇八）と、ものの本には書かれている。なんと、クジラかどうかの判定は、後ろ脚がないことでも、尾びれがあるかどうかでもなく、耳の骨の特徴であるわけ。クジラの耳骨は特殊な構造をしているけれど、パキケタスには今のクジラの耳との共通性が見られるわけだ。さらに、このパキケタスの足首の骨（距骨《きょこつ》）は、ウシやブタなど、偶蹄類《ぐうているい》の足首の骨と共通した特徴がある。かくして、現在の分類学では、クジラは鯨偶蹄目として、ウシやブタなどと同じグループにひとくくりにされている。これは、遺伝子の解析から、よりはっきりした結果が出たためでもある。

ただ、学生や生徒たちに、距骨や耳の骨の話をしても、クジラと偶蹄類の縁の近さを実感してもらうのは難しそうだ。授業の中では、クジラとジュゴンの先祖がそれぞれ違うことに焦点をあてていて、クジラの先祖が誰なのかは、副次的に扱うことにしている。

クジラとジュゴンの先祖が違っていることを、学生や生徒に、感覚的にわかってもらうために提示しているのが、おっぱいの位置と、骨の重さの違いだ。ジュゴンは人魚のモデルともいわれるが、人魚同様、おっぱいは前脚の付け根近くにある。ところがクジラの場合、おっぱいはへそと肛門の間に位置している。ウシを思い浮かべてもらうとわかるように、現在クジラと同じ仲間に分類されているウシの場合も、おっぱいは後ろ脚の付け根近くに位置している。では、ジュゴンのようにおっぱいが前脚の付け根に位置している哺乳類はなんだろうか。ジュゴンはゾウに近いと考えられていて、実際、ゾウのおっぱいも前脚の付け根に位置している。授業では、ウシの模型と、動物園で撮影してきたゾウのおっぱいの写真から、両者の位置の違いを指し示している。

こんなふうに、おっぱいにも〝れきし〟が反映されているわけだ。もう一つ、ジュゴンとクジラで比較するものを、授業では用意している。骨だ。ジュゴンの肩甲骨を、やや大きめのコビレゴンドウの肩甲骨と比べてみると、ジュゴンのほうが、ずっと重い。ジュゴンの骨はクジラに比べてずっと緻密なのだ。その理由の説明について、『ジュゴン――海の暮らし、人とのかかわり』（池田 二〇一二）から引用すると、「これは水中生活に適応したもので、特に海底に沈みやすくするためだと考えられている。だからジュゴンは呼吸をしに水面へ上がったあと、脱力すると自然と体が沈み、海底へ着地するようにできている」ということになる。ジュゴンは泳ぎながら餌をとってくらすクジラと異なり、海底に生える海草を食べる〝くらし〟に合わせた骨をしているわけだ。授業の中で、ジュゴンとクジラの骨の重さを比べた学生や生徒たちは、「本当に全然、重さが違う」と口にする。どこまでわかってくれたかは、はっきりしないけれど、多少なりとも両者の〝れきし〟の違いが実感できているんじゃないかと思う瞬間だ。

ジュゴンは、満潮時、イノー（礁池。珊瑚礁と岸の間の水深の浅いところ）の水深が深くなるころを見計らい、リーフの切れ目からイノー内に入り込み、海草を食べる。そのため、貝塚時代、ジュゴンは人々にとって、恰好の獲物となった。ジュゴンは、ほかのすべての生き物と同様、〝くらし〟と〝れきし〟に関わりがある形をもっているけれど、ジュゴンを見ていくと、人の暮らしとの関わりというもう一つの歴史の存在にも気づく。

やがて琉球王府時代になり、人とジュゴンの関わり方は、それまでとは別の様相を見せることになる。この時代、ジュゴンの捕獲は王府が独占するものとなったのだ。八重山においては、新《あら》城島《ぐすくじま》の島民は、租税の一部として納めるためジュゴンの捕獲が特別に許されていた。捕獲されたジュゴンは、主に皮が干され、これが王府に納められて、中国からの使節をもてなす際などの珍味として利用された。新城島には、今も豊年祭の折に、このジュゴンを捕獲する際の様子を歌い込んだ唄とともに踊りが舞われている（盛口満 二〇〇三）。戦前、昭和初期の話であるけれど、琉球王の末裔である尚順《しょうじゅん》男爵のもとを訪れた柳宗悦《むねよし》（民藝運動を提唱した人）の夫人が、このジュゴンの皮の料理を口にし、その味について「さらしくじらのようだ」と感想を書き残している（盛本二〇一四）。

ところで明治になり、王府のガバナンスが崩壊するとともに、ジュゴンの捕獲には歯止めがきかなくなってしまう。結果、すでに戦前において、八重山近海から、ほぼ、ジュゴンは姿が見られなくなってしまった。戦後になって、沖縄本島にわずかなジュゴンが生き残っていることがわかるが、これも辺野古への軍事基地の建設と時を合わせ、姿を消してしまう。二〇一九年一二月一二日付『琉球新報』には、国際自然保護連合（ＩＵＣＮ）が、琉球列島のジュゴンを近絶滅種（最も絶滅の危機に瀕している状態）と評価したという記事が掲載されている。

ジュゴンは沖縄で、古くから捕獲され食べられもしたのではあったけれど、一方で神の使いという位置づけのなされる神聖な動物でもあった。一七七一年、八重山と宮古を襲った明和の大津波の際、ジュゴンがその津波を予知したという伝説が島々には伝わっている。沖縄の島々でジュゴンを意味する「ザン」という名称自体、伊良部島《いらぶじま》で津波を表すサイや、石垣島で津波を表すナンという言葉に由来するのではないかという考えもある（谷川　一九七四）。

ところで、沖縄には、海の彼方にニライカナイという神の世界がある、という信仰がある。『ジュゴン――海の暮らし、人とのかかわり』には、ジュゴンとニライカナイとの関わりについて、次のように書かれている。「ジュゴンはニライカナイからの神の恵みであり、ユリムン（寄り物、魚介類）であった。沖縄島の大宜味村《おおぎみそん》の神事に出てくる古謡（神歌）の中にもジュゴンが登場する。その内容は、遊びを終えたニライカナイの神が、ジュゴンとともに海に帰るというものである。沖縄の人々にとってジュゴンは海の神であり、ニライカナイの神の分身であった」。ジュゴンは、身近なものであり、また、異世界とつながるものでもあった。だから、ジュゴンを捕獲して食べる際に、タブーがあったという話も伝わっている。

「漁夫はこれ〔ザン、つまりジュゴンのこと〕を捕獲しても家に持ち帰らず、浜で料理して食うに過ぎない。家に持帰ったら、その家の主婦が死ぬか、家族の者が海において不慮な災難に逢うものとされている。ザンが上ると時化が来るといわれ、ノロや神人に世直しの祓いをして貰う事になっている」(島袋 一九五一)

ジュゴンに限らず、海岸に漂着する骨は、かつて沖縄の人々が神々からの贈り物とみなした、ウチナーグチ(沖縄口)でいうところのユリムンかもしれない。そんなことを思う。そして、贈り物であるからこそ、こちらの思いどおりに手に入るものではなかったりする。さらには、思いもかけぬものであったりもする。

与那国島の謎の骨

ジュゴンの骨拾いがユリムンにつながった。そしてユリムンということから、以前に海で拾った骨を思い出した。しばらく前、与那国島《よなぐにじま》の海岸を歩いていて、見つけた骨のことだ。

与那国島は、黒潮の洗う島だ。黒潮に乗って、さらに南から、海流散布をする植物の種や実などが、この島の海岸によく漂着する。この島は、まさにユリムンの島だ。この日も、そうした漂着種子を探して、海岸を歩いていた。すると、海岸に貝殻や種子に混じって、点々と骨が落ちていた。これが、何の骨かまったくわからなかった。全体にスカスカした感じで、軽い。そして脂っぽい。魚のなかでも、深海魚の骨はスカスカして、脂っぽい特徴がある。だから、拾ったときは深海魚の骨ではないかと考えた。ただ、魚の骨にしてはずいぶんと大きい。魚の骨だとしても、どこの部分かわからない。拾ったのは、細長く平たい、肋骨のような骨、それよりも厚みのある棒状の骨、円盤状の骨から突起が突き出ているもの、H型の骨、の四つだ。これらは謎の骨として、僕の家にしまい込まれることになった。

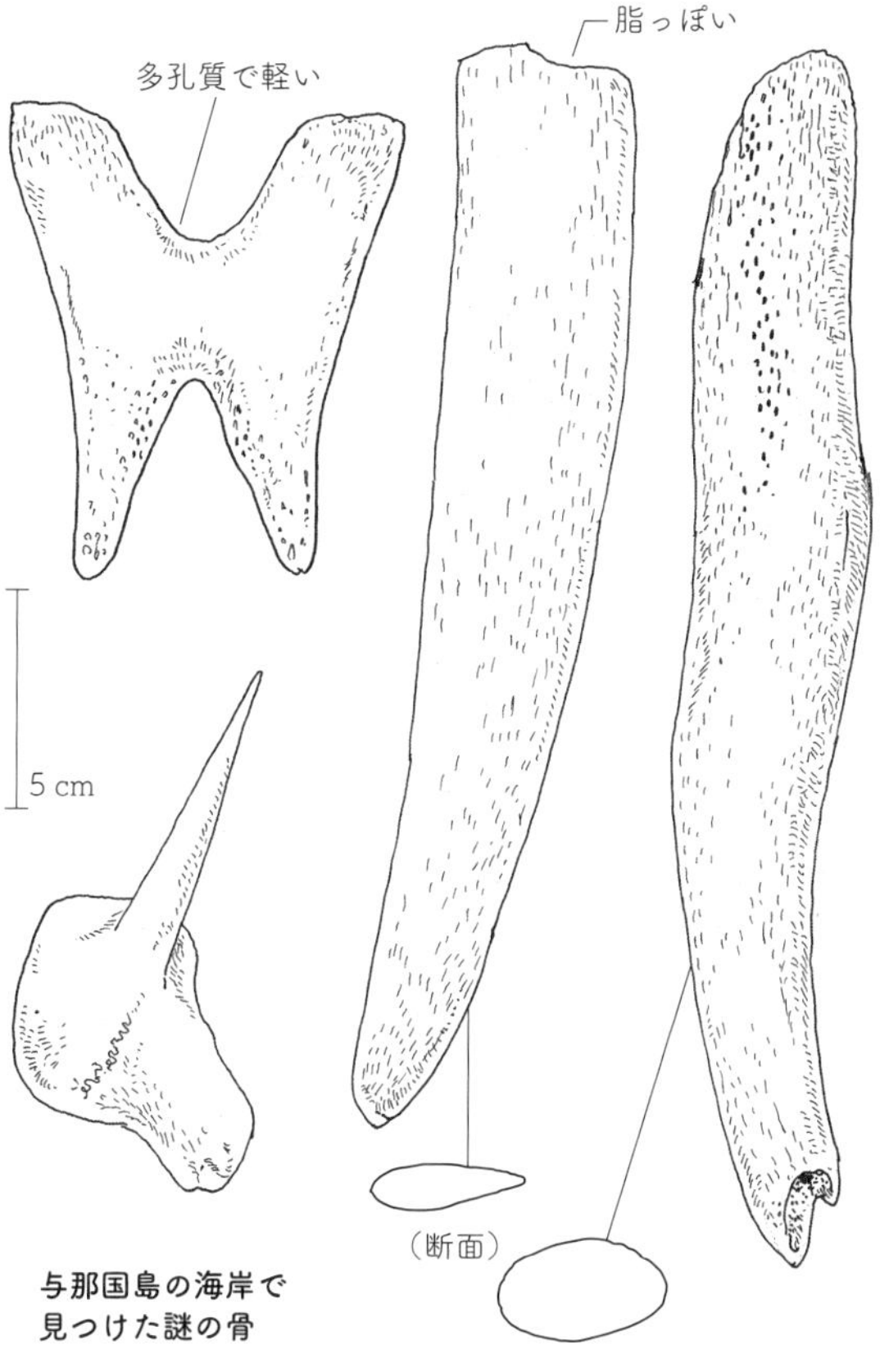

与那国島の海岸で見つけた謎の骨

ところが、カイとのやりとりで、「コスパ」がキーワードになって、「メクラヘビ」が「ジュゴンの骨拾い」に、さらに「ユリムン」から「海での骨拾い」へと、連想ゲームのようにつながって、この謎の骨のことを思い出す。この際、骨の正体を明らかにできないか試みてみようと思う。自分一人では解決ができなかったので、骨友だちの助力を得ることにした。誰に意見を聞いてみようか。高知大学の院に行ってから、しばらく連絡をしていないマオ君が、魚の骨も含めて、いろいろな骨に詳しそうだ。マオ君に、写真つきのメールを送る。

「棒状の骨は、ウシかウマの肋軟骨の可能性が高いのでは、と思います。与那国では、のざらしのウシやウマの骨をよく見かけましたが、とくに分解初期の肋軟骨は、こんな感じでした。でも、H型の骨は、何であるかよくわかりません。質感は、哺乳類のものだとすると、胸骨に似ていますね。ただ、不思議な形をしていますね。角のある円盤状の骨は、見当もつきません」

さっそく、マオ君からは、こんな返信がある。なるほど、肋軟骨か。肋骨の、胸骨に近い部分にある軟骨だ。ウシやウマも、脚の骨ぐらいなら、僕でも何の骨かだいたいわかるのだけれど、両方とも、全身の骨をくまなく拾ったことがない。だから、ウシやウマの骨を拾ったとしても、部分的には、どこの誰の骨かわからないことがある。とくに肋軟骨なんて、ちゃんと手に取ってみたことがない(逆に、マオ君はウシもウマも全身分の骨を拾ってもっている)。ただ、この肋骨みたいなものも、棒状の骨もH型の骨も、円盤状の骨も、みんな同じ日に同じ海岸で拾った骨だ。質感もよく似ている。だからみんな同じ動物の違うパーツだと思うのだけど。そんなメールを送ると、再び返信がある。

「H型の骨について思い当たったことがあります。アカボウクジラの一番後ろの胸骨は、こんなふうにH型をしているという特徴がありました」

こうある。さらに追伸。

「クジラの骨だったら、リョウ君に見てもらったら……」と。

さらにしばらくして、マオ君が、リョウ君に謎の骨の写真を転送したら、返事がありました、と連絡をくれる。

「H型の骨は、アカボウクジラ類の胸骨、棒状のものは同じく舌骨、円盤状の骨は頬骨《きょうこつ》（ほおぼね）、そして肋骨ではないかということです。まさかと思ったのですが、アカボウクジラの仲間の骨で、あたりかもしれません。すごい！」

こうあった。しばらくして、リョウ君自身からも「おそらくアカボウクジラ類の骨です。とてもいい拾いものですね。一度は海辺でお目にかかりたいです」というメールが入る。

世界には八五種のクジラがいる。このうち、アカボウクジラ科のクジラは全体の四分の一にあたる、二一種もいる。ところが、アカボウクジラの仲間には珍種が多い。外洋を生活場所にしている種類が多いからだ。例えば、アカボウモドキなら「北大西洋の温帯域とアフリカ南東部、南オーストラリアでのストランディング記録（漂着記録）が知られているにすぎない」種だし、バハマオウギハクジラは「三個体分の標本がニュージーランドとチリから知られているにすぎ」ず、その外形も不明だとある（村山編 二〇〇八）。カイたちが沖縄にやってきたとき、スギモト君が見つけたと話題に出たコブハクジラも、このアカボウクジラ科のクジラだ。アカボウクジラはアカボウクジラ科のなかではそこまで珍しくはないといっても、なかなか海岸で骨を拾うということはない。だからリョウ君は「いい拾いもの」と言ってくれているわけだ。

それにしても、拾ったときにクジラの骨とは、まったく思えなかった。ずいぶん、スカスカした骨のように思えたから。リョウ君にこの点を問うと、次のような返信が来た。

「クジラ類の骨はかなり多孔質で軽石的な雰囲気があるように思います。一般的な陸上哺乳類は表面に緻密骨、芯部に海綿骨があるのが普通ですが、クジラ類のとくに舌骨、骨盤骨、肋骨、椎骨の突起、上顎骨、涙骨、頬骨、指骨などは緻密骨がほとんどなく、海綿骨のみからできているように見受けられます。また、これらの骨は、骨格標本にした際に脂が残りやすい印象があります。またさらに海棲哺乳類では、外洋性のものほど骨密度が低く、沿岸性のものは骨密度が高いらしいのです」

なるほど。拾った部位が、そろいもそろって、スカスカだったわけだ。さらにマオ君から送ってもらったアカボウクジラの仲間の骨に関する資料につけられた写真を見ると、確かに胸骨の、とくに一番後ろの骨はH型をしている。頭骨の写真を見ると、頬骨は円盤状の骨から、細長い骨質の突起が突き出ている。どうやら、やっぱりアカボウクジラの仲間の骨か。

メクラヘビについても、カイとのやりとりをするまで、まったく知らないことがあったけれど、アカボウクジラも、マオ君やリョウ君とのやりとりがあるまで、名前ぐらいしか知らないクジラだった。アカボウクジラについて、調べてみる。

「アカボウクジラはきわめて非凡な潜水能力をもつ。アカボウクジラ科のクジラのなかで、最も広い分布域をもっている種類であるが、生活史は十分に理解されておらず、沿岸から遠く離れた海域に生息し、深海へ潜るというくらしが、このクジラの研究を困難にしている」

アカボウクジラに関する論文は、こんな書き出しで始まっている。論文の執筆者であるアメリカのスコルは、八頭のアカボウクジラにタグをつけ、そのくらしぶりを追っている。その中には、水深二九九二メートルまで潜水するという驚くべき記録も含まれていた。また一回の潜水時間も一三七分を超える記録もあった(Schorr et al. 2014)。アカボウクジラは、世界一、潜水するクジラだったのだ。リョウ君が、外洋性の海棲哺乳類ほど骨密度が低い、と教えてくれた。拾った骨が、スカスカで、脂っぽかったのは、拾った部分にもよるけれど、外洋性で深海まで潜水するという、特殊なくらしをするクジラだからだろう。

「アカボウクジラについては、生態、行動、個体群、生息数について、わずかな情報しかない。アカボウクジラが認識されたのは、部分的な頭蓋骨《とうがいこつ》がフランスの海岸で発見された一八〇四年になってからで、記載は一八二三年(キュビエによる)である。(中略)最大長はオス、メスとも七メートル」

別の論文には、こう書かれている。深海まで潜って、何を食べているかというと、主にイカの仲間だと考えられているともある。実際、イタリアの海岸に打ち上がったメスの胃の中からは、モスソクラゲイカ、ホソツメイカ、サメハダホウズキイカの仲間、タコの仲間などが見つかっている(Santos et al. 2001)。

そして、思いもかけないことが起こる。おもしろいことに、ほぼ時を合わせて、骨拾いとはまったく別の方面から、アカボウクジラが僕の前に姿を現したのだ。

昔話のクジラの正体

沖縄本島中部・東海岸に位置する勝連《かつれん》半島の沖合に、いくつかの島が浮かんでいる。現在は勝連半島から、海中道路によってつなげられている島々だ。そのうちの一つ、平安座島《へんざじま》へと車を走らせる。

自由の森学園を退職し、沖縄に移住したとき、ふと疑問に思うことがあった。それは、沖縄にも里山があるかという疑問だった。自由の森学園は、関東平野が徐々に秩父山地に向かって立ち上がっていく丘陵地帯の、まさに里山にある。里山とは、里を含み、耕地だけでなく、人々の暮らしと密接に結びついていた森林も含めた環境のことだ。ところが、沖縄本島では、人里近くの耕作地といえば、一面のサトウキビ畑ばかりが目に入る。背後の山は足を踏み入れるのがためらわれるような「ジャングル」だ。ところが調べてみると、沖縄でも一九六〇年代以前は、里周辺には田んぼが広がり、背後の山には段々畑がつくられていたりして、いわゆる本土の里山と似た環境が広がっていたことがわかった。沖縄ではその後、急速に、田んぼの減少とともに、サトウキビの単作化が進んだのだ。

このことに気づいてから、沖縄の島々を歩き回り、おじいやおばあたちから、昔の里山の様子を聞き集めることを始めた。里山とはいっても、沖縄の里山は本土とは様子が異なっているし、同じ沖縄でも島々によって、その様子はきわめて多様だ。そうしたかつての里山の様子を覚えている人たちがいるうちに、できるだけ記録を残しておきたいと思う。ただ、里山の景観を話として聞き取るのは難しい。そこで、昔の動植物の利用についての話を聞くなかで、間接的に里山の様子を聞き取るという方式をとっている。この日僕は、それまで話を聞いたことがなかった平安座島の昔を知る人を知人から紹介され、話を聞くことになっていた。

一九二九(昭和四)年生まれのOさんから、お話をうかがう。平安座島は小さな島だ。かつては若干の田んぼがあったけれど、あとは畑で、燃料とする薪を得ようにも、昔は木がほとんど生えていなかったと聞いて驚いた。こうした、きわめて資源の限られている島だったので、男たちは海上輸送を生業《なりわい》としている者が多かった。また、海中道路ができる以前は、潮が引いたのを見計らい、対岸の勝連半島まで片道四〇分かけて歩いて渡ったものだともOさんは言う。こうした話の中に、戦後、ジュゴンを食べたという話が登場した。

「おいしかったですよ。煮るとおいしくて、馬肉みたいでした」

戦争体験の語りを直接聞くことが、もうしばらくするとできなくなるように、ジュゴンの味を知る人の話を直接聞けるのも、今が最後の機会だろう。さらにOさんは、昔はイルカもよく食べたという。家に戻ってから、Oさんが僕に手渡してくれた、平安座自治会が出版した郷土史の本を開いて、気になる記述に手が止まった。

戦後、平安座でイルカ漁を始めたのは、戦前、オーストラリアで真珠採取等に関わっていた住民が引き揚げてきてからだと書かれている。そのうち、イルカ砲を入手し、捕鯨にも手を伸ばすようになった。獲物となったのは、冬季、沿岸に回遊しにくるザトウクジラで、夏季は、沖合でマッコウクジラのほかに「油ヒートゥ」を捕獲したとある（ヒートゥというのは、ゴンドウクジラなど小型のクジラ類のことを指す言葉で、沖縄本島北部の名護ではピトゥという）。

さらに、「アンダビトゥ〔アンダは油のこと〕は動物図鑑にもない種類、（中略）大きさは重量一トンないし二トンくらい。表皮は黄黒色、水玉模様の白い斑点がある。脂肪は表皮だけにあり、体内の赤肉には全く脂肪気はない。肉はやわらかくて美味であるが、脂肪分は食用にはできない」と書かれ、もし脂肪分を食べると消化せぬまま知らぬ間に排出され、そうした失敗談は笑い話のネタにもされたといったことが書かれている。

この本には、クジラの不鮮明な白黒写真も載せられている。キャプションには、一九五二年に撮影され「正体不明」と書かれているけれど、体表に水玉模様が見えるところからすると、これが油ヒートゥ、またはアンダビトゥと呼ばれるクジラだろう。そしてこの写真と、クジラの図鑑を照らし合わせると、写真のクジラはアカボウクジラかその仲間のように思えた。アカボウクジラの体表には水玉模様があるし、「図鑑にもない」とあるのも、メジャーなクジラではないことを示していそうだ。与那国島の謎の骨のやりとりをしていたので、マオ君やリョウ君に、この話もメールしてみる。

「不明クジラの写真、体に畝《うね》がなく、ダルマザメの咬み痕、傷痕から、やはりアカボウクジラ科のクジラであると思います。沖縄で可能性があるのは、アカボウクジラ、コブハクジラ、イチョウハクジラ、タイヘイヨウアカボウモドキのいずれかと思います」

リョウ君からは、こんなメールが返されてくる。畝とはヒゲクジラの腹部にある体の特徴で、畝がないということは写真のクジラがヒゲクジラではなく、ハクジラの仲間だということを表している。また、写真には、頭部がはっきり写っていなかった。そのため、アカボウクジラ科のなかの、どの種類にあたるか、きちんと判定ができないという。そして、クジラの体表にある水玉模様は、ダルマザメが表皮を丸く咬みとった痕だったわけ。

「古い記録ですが、本部《もとぶ》半島でアカボウクジラとおぼしきクジラが打ち上がった記録がありますね。興味深いのは、食べると下痢をすると書かれているところです」

マオ君からは、こんな返信が送られてくる。マオ君が教えてくれたのは、名護で行われていたヒートゥ（ヒートまたはピトゥ）漁についての報告だ。

かつて、名護湾は、ヒートゥ漁で有名だった。岸近くまで回遊してきたヒートゥ（小型クジラのコビレゴンドウ）の群れを追い込み、捕獲していたのである。報告では、一回の追い込みで一〇〇頭前後も捕獲されたと書かれている。漁の対象となったのは、ほとんどがコビレゴンドウ（この報告では、ヒートと表記されている。コビレゴンドウだけでなく、小型クジラ全体もヒートと呼ぶとも記されている）だった。まれに、バンドウイルカやミナミバンドウイルカも捕獲された。このバンドウイルカはジャーカービート（ジャーカーは小型のネズミの意味とある）と呼ばれた。肝心の本部半島の海岸に漂着したクジラについては、「コーザァビートという体長五～六m、一、二〇〇kg位の鯨がのし上げたそうである。コーザァとは灰白色の意味である。話を総合するとアカボウクジラ（*Ziphius cavirostris*）と推測される。この鯨を食べると下痢をするので、ムイピトとも言うそうである。ムイとはモラス意味だという」と書かれている（西脇・内田 一九七七）。

マオ君からのメールには、アカボウクジラの体色は変化に富んでいて、年を取るにつれ白っぽくなるそうですとも書かれているので、「コーザァ（灰白色）のクジラ」がアカボウクジラを意味していることは十分ありうる。そして、どうやらアカボウクジラは、その脂肪分を、人間が消化できないらしい。それにしても、「漏らしクジラ」という異名をいただいているなんて……。

漏らしクジラ

平安座島のOさんの話を聞いてしばらくして、今度は名護湾に面した数久田《すくた》集落のお年寄りたちから昔話を聞く機会をもてた。公民館に集まったおじい・おばあから、昔のさまざまな自然利用についての話を聞く。ひとわたり話を聞いたころに、一九三八（昭和一三）年生まれのHさんが、

「まだピトゥを捕る話をしていません」と言ったかと思うと、ピトゥ捕りの話を、怒濤の如く、し始めた。

ピトゥ（ヒートゥ）の群れが湾内に入り込んだのがわかると、半鐘代わりの空《から》のガスボンベを打ち鳴らして、集落の人々に知らせたという。

「ピトゥが来たら、女たちは、珊瑚の白い石をティンマに載せるんです。ティンマというのは、サバニ（沖縄伝統の小型漁船）の二倍半ある船で、普段は茅葺き屋の中に入れてあって、これが一〇ぐらいありました」

「そのティンマに珊瑚の石を載せて、一〇名乗って、漕いでいって。強いのでは女も乗ります。それで、ピトゥの群れを名護湾に寄せるように、石を投げます。村長さんがね、機械ポンポン船に乗って、旗を持っているんです。数久田から船が出ると、あちこちからも船が出て、専門の漁師の船も出て、一〇〇ぐらいにもなって。湾に追い詰めたら、村長さんが旗を下ろします。そうすると、銛《もり》を投げる。もう、海が血でいっぱいになります。銛にはロープがついているでしょ。ゴンドウクジラを一艘で三つも四つも捕って、ロープで船のそばに寄せて、もう船端《ふなばた》ぎりぎりまで海に沈んで。浜にあがったら、解体して。普段は何も肉を食べていないでしょう。豚肉を食べるのも、特別の日だけだから。もう大鍋いっぱい肉を炊いて、うんと食べて。（中略）少年でも、鎌でも包丁でも持って行ったら、分け前をもらえたし。子どもでもどんぶり三杯、四杯、炊いた肉を食べれたよ。おいしい。ピトゥはナチョーラ（海人草）とイカが餌だから、肉が薬だよ。炊くとアクがいっぱい出るけど、アクを取らないよ。味つけも塩で十分。ステーキよりおいしいぐらい。それでピトゥが捕れると、街の肉屋は半年、肉が売れなくなるわけ」

Hさんは、息せくように、こんな話を一気に語ってくれた。ピトゥは岸近くに寄る年と寄らない年があったが、「ピトゥが寄らんと、村長は人気がなくなってクビになったぐらい」と、Hさんは笑って言う。そして、このHさんの話の中にも「漏らしクジラ」が登場した。

「ムイピトゥは食べたら下痢をします。それでも食べましたけど。戦後はオイルで天ぷらにしたぐらいだから。三番、四番のオイルはだめ。上質のオイルを使いましたが、これも食べると下痢をします。もう大変だよ。ムイピトゥはめったに来なかったし、(捕まえようとしても)逃げてしまうものだったけれど」

こんな話だ。この話の中に出てくる「オイル」というのは、戦後、米軍基地で使用されていた機械用のオイル(人によっては、モービルと表現したりする)だ。戦後の一時期、食用油が不足した際には、こんなものまで天ぷら用の油として使われたという話は、あちこちで聞いた。しかし、「漏らしクジラ」、Hさんの話にも登場するところからすると、僕が思っていたよりも案外、ポピュラーな存在だったようだ。

そこで、名護のピトゥ漁について書かれた文献も、もう少し調べてみる。名護博物館から出版されている『ピトゥと名護人』には、ピトゥとして利用されたクジラ類は、主にコビレゴンドウ、カズハゴンドウ(グンピトゥ)、バンドウイルカ(フリッパー、またはジャーカーピトゥ)の三種であったと書かれている。ただし、そのほかの種類として、アカボウクジラも「ムイビートゥ」という名で呼ばれるとし、「食べると下痢をするクジラは本種だと思われる」と解説されている。また、漁師さんの対談中にも、この「ムイビートゥ」が登場する。

「名護でこれ買って食べて大変なったてよー」「あれ消化しないで下にもれてきますからね」「とてもおいしいそうです。食べながらおしりから油がもれるみたい」「私も食べました。もれるのがわからん。油だけもるわけよー」「(問題は)油だけー。おいしいよ、やわらかくて」

こんなやりとりがなされたことが紹介されている。なお、『名護市史』によると、「アカボウクジラは個体数が少なく、外洋でも少数頭で泳いでいる例が多い。まれに名護湾内の浅瀬に来遊することがあったが、ピトゥ漁の対象としては例外的なものであった。アカボウクジラの脂肪は消化不良を起こすため肉としては好まれていなかった」とあり、肉についての評価は人によって異なるようだ。

『名護市史』には、また、ピトゥはユリムヌ(ユリムン)の代表であったとも書かれている。ユリムヌ。ニライカナイからの贈り物。群れが湾内に近づいてくるかどうかは、人間の力ではどうにもならぬ、先方次第のことであり、まさに自然の恵みだ。だから数久田では、拝所で、毎年、旧の三月三日にピトゥの来遊を祈願していたという。この調べ物の結果を、これまたさっそくマオ君に知らせる。

「そんなインガンダルマ的なあぶらだとはおもしろいです」

こんな返信が返ってくる。沖縄本島の東海上に位置する南大東島などでは、インガンダルマと呼ばれるバラムツを食用とする(ただし一般への販売は禁止されている)。この魚は刺身もから揚げもおいしいが、この魚のあぶらを人間は消化できない。そのため、インガンダルマは「三切れ以上食べるな」と言われている。それ以上食べると、お尻から油が漏れてくるからだ。食べ過ぎたことのある人に話を聞くと、本人は漏れたことに気づかないのだけれど、お尻から出てくる油だから臭いという。一度、知らずにたくさん食べて、そのまま銭湯に行って、そこで漏らしてえらい目にあったという話を、あるおじいから聞いたことがある。

実は、僕の生まれ故郷、南房総は、古くからアカボウクジラ科のツチクジラの捕鯨が続いている地域だ。捕れたツチクジラの肉を薄く切り、干してつくる「クジラのタレ」は郷土食の一つである。アカボウクジラに関する論文を探しているときに、ツチクジラ漁について書かれた論文を見つけて読んだら、千葉や和歌山などではツチクジラに混じって、ときおりアカボウクジラも捕獲していたと書かれていて驚かされた。その論文には、「アカボウクジラは千葉の方言ではカジッポという。アカボウクジラもツチクジラ同様の小型捕鯨の船で捕獲されるが数は少ない」といった内容が書かれている。なお、論文には、数は少ないとあるけれど、論文に引かれているデータによれば、一九五〇年には全国(米軍統治下の沖縄を除く)で一〇頭、翌五一年には二七頭、五二年には三五頭、捕獲されている(Omura et al. 1955)。

それにしても、思っていたよりも、アカボウクジラは人との関わりがあるクジラだった。

小さな物語の誕生

もう少し、話を聞き集めることにする。クニマサさんに会ったときに、さっそく、ピトゥの話を聞いてみることにした。一九四八(昭和二三)年に、沖縄本島最北の集落、奥《おく》で生まれたクニマサさんは、僕にとっては、山原《やんばる》といわれる沖縄本島北部の自然や、そこで暮らす人々の自然利用についての偉大な先生だ。これまで何度も会って、さまざまな話を教えてもらってきたけれど、ピトゥについては話を聞いたことがなかった。同じ沖縄本島北部といっても、ピトゥ漁の盛んだった名護と、奥ではだいぶ距離が離れているから、ひょっとするとピトゥの利用はなかったのかもしれないなと思う。

「いやいや」

クニマサさんが、首を横に振る。ちゃんと利用していたということだ。

「ピトゥの皮の部分から、油を搾るわけ。その油を搾ったカスは、まったく食パンみたいなんだよ、厚さ一センチほどで。これをトラックいっぱい載せて、奥まで来て、売りよったよ。これなら、冷蔵庫がなくても保存がきくから」

名護から離れた奥には、生のピトゥ肉が届くことはなかったけれど、こうした製品が流通したのだという。

「どうやって食べたんですか?」

「これはブタの餌だよ。でも、もったいないから、自分たちでも食べたさ。ゆがいて、もどしてから切ってね。ジャガイモとかと煮っころがしにしたよ。赤肉のところは、硬いままだけど、脂身のところは、食パンみたいに柔らかくなっておいしいよ」

「そうなんですか。この前、名護で話を聞いたら、ピトゥのなかには、食べるとお尻から油が出てくる種類もあるっていう話になって……」

「奥ではね、Nさんが戦後すぐにジュゴンを捕って食べたっていう話をしていたよ。たまたま湾の中に入ってきたから、捕ったって。それで、食べた人、みんなが、お尻から油が漏れたって。ジュゴンは、村あげての収穫物だったから、みんなが食べたって言うんだけどね」

ジュゴンも食べすぎると、お尻から油が漏れるのか。そういえば、一つの話を思い出した。琉球王の末裔、尚順男爵が少年だったころ、家庭教師がジュゴンをごちそうになった。そのとき、「お尻のところに紙を敷いてください。油が出るから」と言われ、そのとおりにしてみると、はたして紙が油でぬれていたという話だ(谷川 一九七四)。

さらに、八重山の鳩間島《はとまじま》出身のハナシロさん(一九五〇年生まれ)からも、ジュゴンやピトゥの話を聞く。西表島の北に隣接する小島、鳩間島の人々は、昔から対岸の西表島に小舟で渡り、田んぼをつくってきた。ハナシロさんは、そうした海を渡る田づくりを子ども時代に体験している最後の世代だ。

「鳩間から西表(島)に渡るとき、じいちゃんが「ザン!」って、叫んだことがあって。すると、おやじが水中眼鏡をかけて、水中を見て。じいちゃんが舵取りをして、おやじが水中を見て、おじさんが銛で突く。連携プレーです。ザン（ジュゴン）は呼吸をするために水面にあがるのがわかっているから。その日は田草を取りに田んぼに行かなきゃいけないのに、ザン捕りにみんな夢中になって。それでザンを結局、仕留めたんですよ。それで、西表に運んで、切って、食べて。みんなを呼んで食べてね。残った肉は島に持って帰って、それでまた、二、三日はパーティーです。それまで食べたことがないものでした。だから、ザンという言葉は頭に残っています」

さらに話は続く。

「鳩間でも、名護と同じようにピートゥー（コビレゴンドウ）漁をしたんですよ。これを捕るのは鳩間と名護だけじゃないかな。ピートゥーは毎年来ました。僕らは小学生のとき、追い込んだピートゥーの背びれを捕まえて遊んだりしましたよ。追い込むのは、竹に石をつけて落として、それで追い込んで。海は血で真っ赤になって。捕ったピートゥーは食べるんですが、食べきれないから、島にカツオ船が四艘ありましたが、漁に行かないで、ピートゥーの肉を積んで石垣に売りに行きました。これは、僕が中学一、二年のころまでやっていました。昭和四〇年代ごろまでですね。鳩間では、一年間、毎日、捕ったピートゥーの油を使ってチャンプルーです。サーターアンダギーを揚げるのもこの油です。これ、食べすぎると、お尻から漏れてきます。だから「今日も、ピートゥーの油か」と言ったりしました。よく食べていたので、油のニオイで、年寄りのピートゥーか、若いピートゥーかわかったぐらいです」

おそらく、こうした話は、各地に眠っているのではないだろうか。少しずつ、モノとモノ、モノとコトがつながっていく。海岸で拾った骨に、話すべき小さな物語が付随していく。それらを整理しなおして、語る場ができる。授業の場だ。

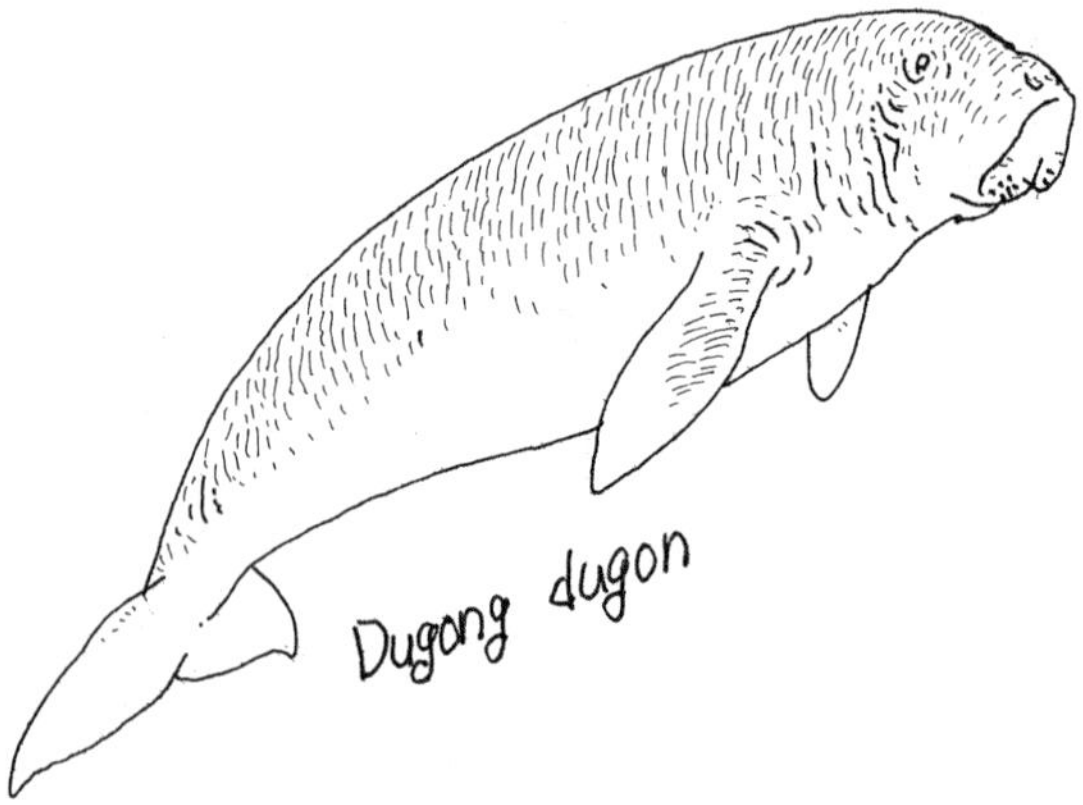

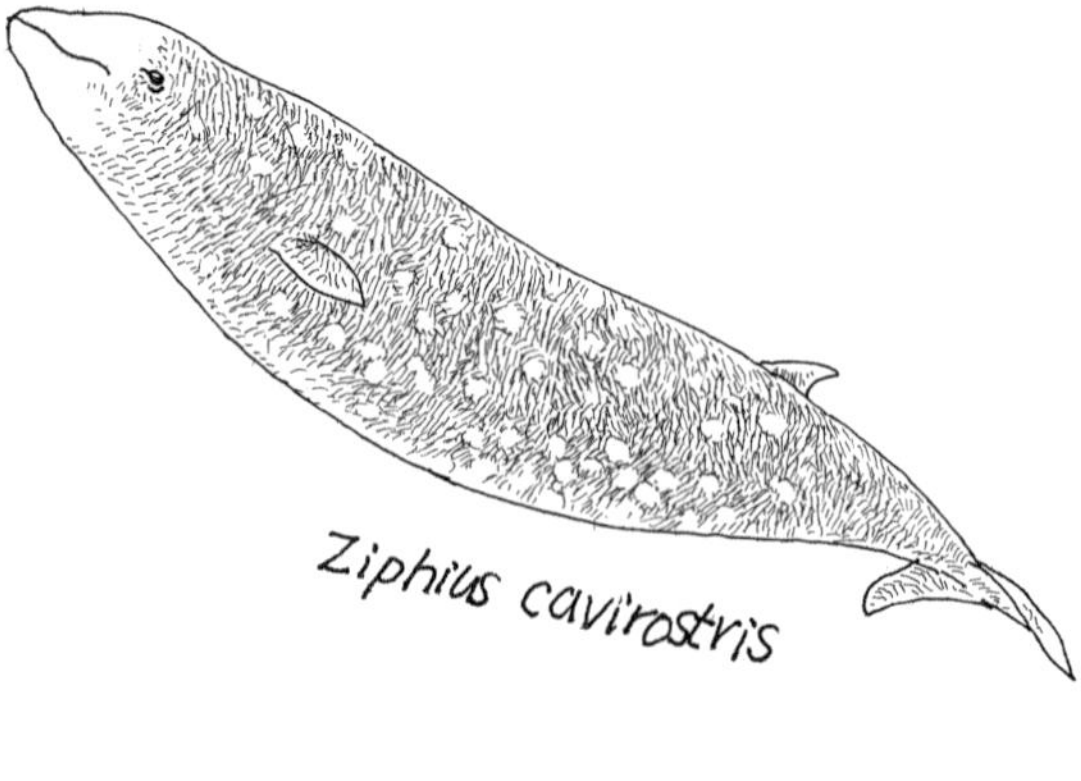

4　ユリムンの教室——コスパが悪い学びこそ

里海の授業

能登のキノコから連絡が来た。キノコ（もちろん、あだ名なのだけれど）は、バヌアツをフィールドとする人類学者、タケカワさんの弟子だ。

「今度、金沢で「海洋ごみ問題を里海から考える」というイベントを開催するので、講演をしに来てほしい」

それが連絡の内容だった。もう少し説明が続いている。

「私が今いる、能登里海教育研究所は、海洋教育の普及を目的として、日ごろは主に能登の小中学校の「里海科」授業のサポートをしています」

そう書かれている。里山は聞き慣れた言葉だと思うけれど、里海という言葉はまだ、耳慣れない。人々との関係の深い沿岸域の海洋環境。それが、里海。それにしても、石川県の小中学校には、里海科という授業があるなんて。昨年は、「海藻から考える里海」が里海科の授業テーマだったのだそう。

「昨年から少しずつ増えてはいたのですが、今年度はとくに、海洋プラスチックごみの問題をテーマにする授業が多く、私も小中学校の先生の要望に合わせて、海洋ごみの移動のシミュレーションを授業で見せたり、問題の概要について話をしたりしています」

キノコからの便りは、そう続く。ただ、海洋ごみについて授業で扱う際に、キノコには気になることがあるという。

「能登であれば、校長先生世代(五〇～六〇代)と、若い先生世代、そして子どもたちの世代と比べると、校長先生世代が、自分のおやつは、ほぼ海から捕っていた、海が遊び場だったというのに対して、若い先生世代は海から離れ、今の子ども世代になると、危険だからと、子どもだけで海で遊ぶということもありません。そのように、あまり海が身近でない子どもたちが、授業で「海洋ごみを調べに海に行こう」と先生に言われ海に行くと、最初から「ごみか……。海ってなんか汚くていやだな」と、モチベーションが低くなるのが気になっていました。学校の先生は、「油断」すると、昔からの定番で「とにかく海岸清掃をやるのがいい」、やったあとは「これからは、ポイ捨てはやめよう。地球をきれいにしよう」というまとめで終わるパターンにしてしまいます(なかには、海外からの漂着ごみが多いことから、海外に問題があるとして終わりにしてしまう人もいます)」

えぇっ？　海は汚いところ⁉　小学生時代、貝殻を拾いに海辺に通いつめた僕にとって、波打ち際は、海底という別世界から送り届けられる貝殻に出会うことのできる、特別な場という思いがあった。そして、渚通いで培った、まだ見ぬ南の海の貝たちへのあこがれが、今、僕が沖縄にいることの根底にあるというのに。

キノコからの便りはさらに続く。

「こうした状況にあるのですが、私はかつて、ゲッチョと北九州の海岸を散策したときの楽しさを思い出しました」

そう言われれば、タケカワさんの招きで、北九州市立大学で開催された環境問題関連のイベントに呼んでもらったことがあった。そのフィールドワークで海岸を歩いたとき、渚に転がる漂着物の正体について、キノコとあれこれ、やりとりをしたことがあったっけ。

「海の生き物のかけら、漂着物を見るおもしろさも伝えたうえで、なおかつ人工物がなぜ問題となっているのかについて、考えていくような授業を目指しています。（中略）貝ボタンと、プラスチックボタンを見せて、「どっちが本物？」クイズ、というのもやっています。予想をしたあとで、お酢につけて、貝ボタンのほうが、溶けて泡を出すのを見ます。石垣島でもらったサラサバテイを「原料の貝だよ」と見せると、子どもたちは、その大きさに驚きます。実物を見て、貝の美しさ、強さやもろさをプラスチックと比べて、プラスチックはなんでこんなに生活に使われているかについて、気づいたことを言ってもらう授業をしています。ぜひ、ゲッチョに、漂着物を介して、どんな授業や実験ができるかなど、お話ししてもらえたらと思います」

そうつづられていた。僕のほかに、マイクロプラスチックについて話をすることのできる専門家も一人、招く予定だという。うん。よし。やってみよう。そう、思う。

死滅回遊

気がつけば一二月。南国沖縄にも、北風が吹き始めた。沖縄では、北風の吹く冬が、漂着物のシーズンだ。金沢での授業を考えるネタ探しに、本部半島の先端にある海岸に車を走らせることにした。浜に着くと、小型のトビウオが、砂にまみれて点々と転がっていた。しめて一六匹。イノーの中にトビウオは棲んでいないから、沖合から吹き寄せられたものだろう。ギンカクラゲという、これも普段は沖合で暮らしているクラゲの白い円盤も打ち上がっている。加えて、ハリセンボンが一匹。まだ手のひらサイズの幼魚だ。沖縄では大きく成長したハリセンボンの仲間を、アバサーと呼び食用にしており、ハリセンボン自体は珍しいものではない。ただこの拾いものがちょっとうれしかったのは、金沢での授業で、ハリセンボンを取り上げられないかなと思っていたからだ。

冬。日本海沿いの海岸に、ハリセンボンが大量に漂着することがある。なぜか。ハリセンボンは南方系の魚だ。例えば宮城県出身のマオ君は、沖縄の大学に進学するまで実物のハリセンボンを見たことがなく、日本にいる魚とは思っていなかったそうだ。ハリセンボンの産卵場所は、本によればルソン島と台湾の東方海域、そして八重山の沿岸海域らしいと書かれている。産卵時期は春から夏にかけてだ。そして幼魚は黒潮の流れに乗って、広がっていく(西村　一九八一)。本来は、琉球列島の島々の周囲の温かな海が生息に適しているのだけれど、海流に乗ったハリセンボンの幼魚は日本海にまで到達し、冬の寒さと強い季節風によって、大量に海岸に漂着する。死滅回遊と呼ばれる現象である。なぜ、そんな無駄死にと思えるような現象が起こるのだろう。それは、長い目で見れば、分布拡大のチャンスを得るかもしれないからだ。何百年、何千年というタイムスパンで見ると、気候変動などで、それまで生息できなかった海域でも、生息できるようになるかもしれない。

ハリセンボンの大量漂着は、日本海沿岸では古くから知られる現象だった。かの南方熊楠《みなかたくまぐす》も愛読した江戸時代の百科事典『和漢三才図会』には、「うみすずめ」と題された項目に、古く『日本書紀』の中に、西暦でいうと六五八年、雲州(出雲国)の北海の浜に死魚が厚さ三尺ばかりに積み重なっていたという記事があることを引いている。また、この魚はスズメのような口先で、針のような鱗があるもので、スズメが海に入って魚になったものだろうとも書いている。

同じく江戸時代の本草書『大和本草』には、「フグに似ているが毒はない。ただ、食べる人はまれ」といった内容が書かれている。これも江戸時代の本草書の『本草綱目啓蒙』には、「形小ニシテ毒ナシ。海辺ノ人釣獲、斜ニ腹ヲキリ去、食フ。(中略)雲州ニテハ十二月八日必風アリテ海荒、コノ魚多クウチ上ラル」とある。

漂着物の授業で、ハリセンボンの話をどこかに入れようと、あれこれ、考える。

当たり前を見直す

大学三年のゼミ。八名のゼミ生が、理科室に集まってくる。金沢での授業の素案を、大学のゼミ生相手に試してみることにした。まず、押し葉を三枚、机の上に並べる。並べた葉は、丸く薄手の葉をもつトウダイグサ科のオオバギと、オオバギよりやや厚めでやはり丸い葉をもつアオイ科のオオハマボウ（沖縄ではユーナと呼ばれている）、そして細長い葉をしているイネ科のススキだ。いずれも大学内で調達したものである。

「あのね、僕はおじい・おばあに、昔の人たちの動植物利用について話を教えてもらってたりするんだけど、この葉っぱのなかで、昔の人がトイレの落とし紙にしていたのは、どれだと思う？」

こう問いかけると、とたんに学生たちはワイワイとやりだす。

「こんなのでお尻ふいたら、肛門切れるよ」

ススキを指してショウノスケが笑いながら言うので、こっちも吹き出してしまう。

「こんなんでふいたら、アガーって言うよね」

ほかの学生からも、こんな声があがる。

「だって、これ、葉のヘリに、棘《とげ》生えてるよ」

恐ろし気にススキを手に取り、そんな声もする。

「でも、竹ひごとかで、うんこをピッて、削《そ》いだって聞いたことあるけど」

おずおずと、レンがそう口にする。確かに僕も、昔、竹ひごがトイレにたくさん置かれていたという話をおじいから聞いたことがある。

「ええっ？　それってどういうこと？」

「竹ひごをみんなでシェアするの？」

シェアという一言に、また吹き出してしまう。いや、使った竹ひごは別の場所に置いて、たきつけに使うとかなんとかだったはず。

「うんこふいたら、毛がつきそうだよ」

ミレイがオオハマボウの葉を裏返して、うさんくさそうに、そう言う。オオハマボウの葉の裏には、細かな毛が生えているから。

「これはかぶれそうだな」

オオバギの葉にも、こんなクレームがつく。結局、どの葉がいいと思うの？　と、八人に、「これ」と思う葉を指さしてもらった。結局、オオバギとオオハマボウを選んだ学生が半々だった。

「おじいたちに話を聞くとね、昔、落とし紙に使ったのは、このオオハマボウの葉だったって。トイレの脇に木が植えてあったけれど、葉を取ってすぐじゃなくて、しばらく置いておいて、しおれてから使ったと言ってたよ。話を聞いたおじいの、もうひと世代上の人たちは、この葉を学校にまで持って行ったそうだよ」

でも、オオハマボウがない場所でうんこをしたくなったら、どうしたらいいのだろう。

「いやー、ススキの葉は肛門殺しだよ」

「いやいや、ゲッチョって、いつも、答えがまさかっていう問題を出したりするじゃない」

実は、山の中でしたくなったときは、ススキを使ったというよ、と僕が言うと、一斉に、「えっ」という声があがる。

「どうやってやるの?」

うーん、まだ僕も試せていない。ミレイが、「じゃあ、この葉っぱは?」とオオバギを指して聞いてくる。

「これはね、お尻をふいちゃいけない葉っぱなんだって。もしふくと、お尻の穴がふさがるって。ミレイの故郷の石垣島のおじいは、この葉っぱはお尻をふくんじゃなくて、おにぎりを包んだよと教えてくれたけど。ただね、お尻の穴がふさがるっていうのは、迷信みたいなものだよ」

「なんだ。迷信か」

「うん。僕の知り合いで、トイレに行かないっていう人がいるんだ」

「何、それ?」

「トイレに行かないで、野山でうんこをするっていう活動を続けているイザワさんっていう人だよ。もともとは自然カメラマンなんだけどね。糞土研究会っていうグループをつくってて、僕もその会員なんだけど。それで、イザワさんが大学に来て話をしてくれたことがあるんだけど、そのとき「あっ、お尻をふくなら、この葉がいいです」って、オオバギのことを言っていたから」

「変な人」

「イザワさんは街に用事で出かけたときも、公園とかの茂みでしているわけ。もちろん、ちゃんと埋めるんだよ。こうしたことをずっと続けているんだけど、まだ野山でし始めたばかりのときにね、自宅近くでうんこをして、地面を掘ったら、前にしたものが出てきたんだって。なんでそれがわかったかというと、うんこは分解されていたけれど、お尻をふいた紙が残っていた。それを見て、うんこを自然に還すっていう活動をしていたはずが、自分が自然破壊をしているって気づいて、それから木の葉でお尻をふくようになったんだって。最近、お尻をふくにはどんな葉っぱがいいかっていう、葉っぱ図鑑も出しているよ」

こんな話をして、イザワさんが写真を撮った、『うんこはごちそう』という絵本を取り出して見せた。「うわーっ」と、学生の笑いがおこる。絵本を開く。トイレでうんこをし、水で流すと、流れた先は炎の中で……。

「えっ？」

「水洗トイレで流したうんこの行く先は浄水場だけれど、最後、固形物は燃やしているんだよ。これって、燃やすための燃料も必要だよね。僕らは自分の出したものの後始末を、こんなふうにしている。でもね、ほんとは、うんこはごちそうなんだというのが、この絵本の主張していることだよ。だって、うんこは、ほかの生き物たちの餌になるものだから」

絵本のページをめくりながら、そう話を続けていく。やがて、ページの中にとぐろを巻いたうんこの写真が出てくる。「これって、この人のもの？」。写真をまのあたりにして、目を丸くした学生が質問をする。そのあと、分解されていくうんこの追跡写真。うんこは分解され、その栄養を求めて木の根が伸びていき……。うんこが実際に土へと還る様を写真で切り取って示してくれる絵本だ。

「さてね、うんこは臭くて、汚くて、ごみというイメージがあったりするけど、それってほんと？　というのを、この絵本は言っているんだよね。続いて、これを見て」

そう言って、小さなプラスチック容器の中から、アクセサリーを取り出す。細いチェーンの先に、丸っこい塊がぶら下がっている。

「ドングリ？」

「ピーナッツ？」

いや、うんこ。ヘラジカのうんこでつくったネックレスだ。

「ニオイかいでみる」と、すかさずリクトが鼻に近寄せ、「ニオイしないよ」と口にする。

「草食だからね」

「だからこんなに固形なんだ」

「かりんとうの小さいやつみたい」

うんこはごちそうという見方もあるし、こんなふうにうんこをアクセサリーにしたっていい。当たり前を見直してみる。それが僕の言いたいことだ。

漂着物クイズ

「今度は、海岸に打ち上がっている漂着物について見てみよう。海岸には、いろいろなものが流れ着いている。それで、夏の海水浴シーズンになると、ブルドーザーで、ざーっと、片づけられたりしちゃう。ごみだからって。でもあるとき、友だちの虫屋と歩いていたら、この光景を見て「ああ」って言うわけ。漂着物のなかには、確かにプラスチックとかペットボトルとか、困ったゴミがある。でも、それだけじゃないと。例えば打ち上がった流木や海藻には、ちゃんとそれを餌にしている虫たちがいるんだと。だから全部一斉に掃除しちゃうと、そんな虫たちの餌がなくなっちゃう。漂着物も、何がごみで、何がごみじゃないのか、見きわめる必要があるんじゃないかなあ」

そう言って、僕が海岸で拾い集めた漂着物を、ざらっと机の上に並べて、「なんだと思う？」と聞いてみた。並べたのは、次の七つである。

①あみあみの袋状のもの
②浅いヘルメットみたいな形の骨

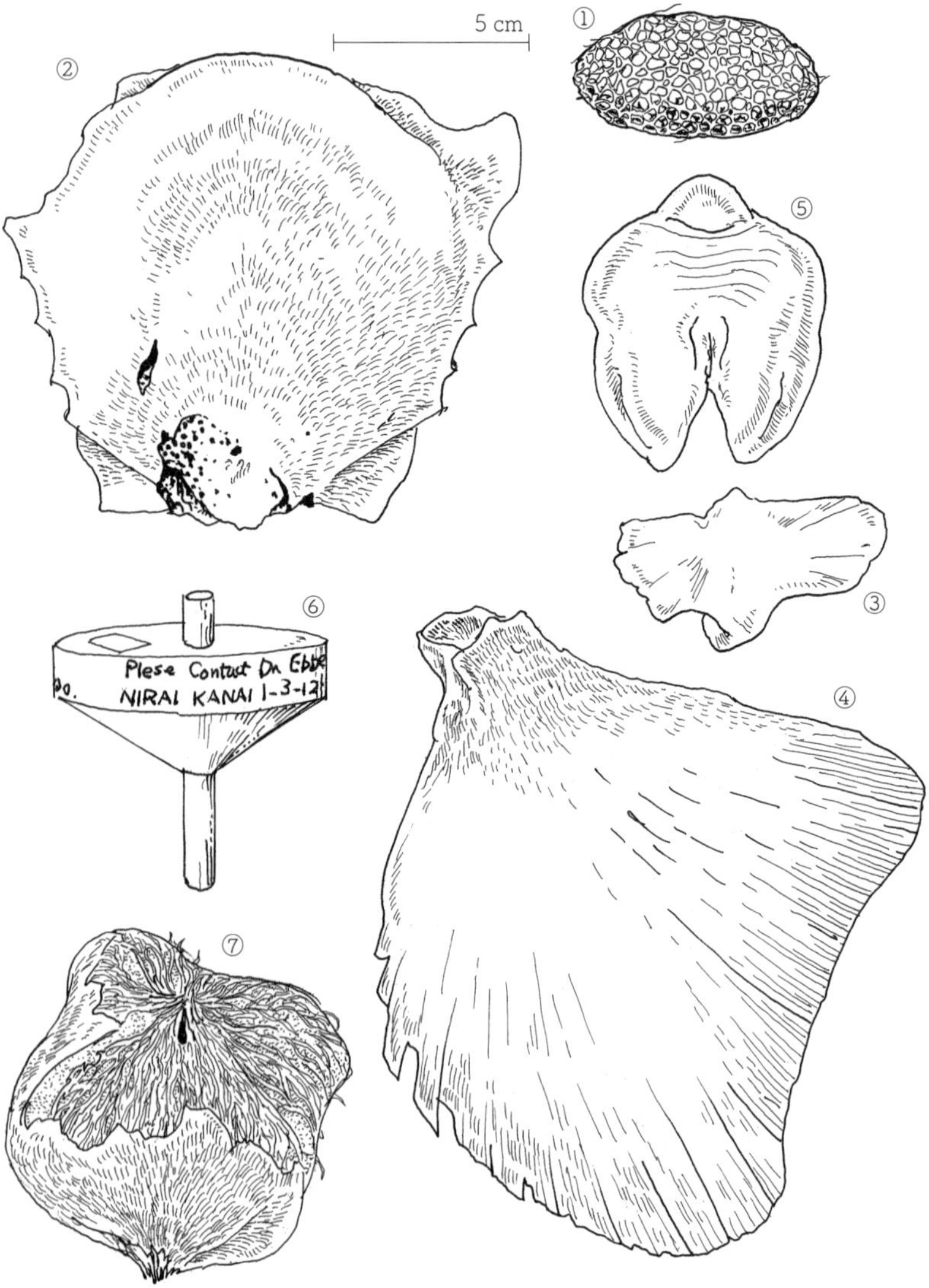

漂着物クイズ

③小さいけれど割としっかりした骨のかけら
④平たく薄い骨
⑤全体がやや半透明がかった、膨れたハートのような形をしたもの
⑥コマのような形をしたもの
⑦カボチャのような形をしたもの

たちまち、ワイワイ。

①を手に取った学生は、ハテナ顔をしながらも、「植物じゃない？　へちまとか」「中に何かが入っている」「中身は種？」と、次々に思ったことを口にしている。

②を手にした学生たちも、「これ、カメじゃん」「イルカの頭蓋骨だよ」「でも、骨がスカスカしているからなあ」「カメっぽいよ」「ウミガメだよ。この前、ウミガメの専門家の話を聞いたら、甲羅には隙間があるって言ってたし」と、あれこれ、言い合っている。

③は目立たなかったこともあり、学生たちからは無視されていた。

④についても、議論が飛び交う。まず、「エイひれ！」という声があがった。続いて出たのが「おっきい魚のしっぽ」。続いて「いや、それはないな」「マンボウのひれ？」「哺乳類じゃん？」「ジュゴンだ」「植物じゃないの？」と、なかなか、これといったところにまとまらない。

⑦はそれほど注目を集めていなかった。⑥もリクトとカリンがコマとして回そうといじくって

いたぐらい。一番議論となっていたのは、⑤の正体だ。

「これ気になる」「ヒヅメ?」「でも、ヒヅメって黒くない?」「ブタの爪とか?」「イノシシだよ」「イノシシ、海に行かないって」「ヒヅメはこんなに軟らかくない。これ、植物だよ」「ナマコなんじゃない? それで体が九の字に折れている……」「ヒトデ?」「これって中空だよ。中に何が入っていたの?」

ここで、時間終了。解答に移る。

骨をめぐるやりとり

「⑥以外、みんな動物なの?」と、ミレイが聞く。

「いや、共通点は、漂着物っていうこと」

「必ず、海のものでもないってこと?」

そう、それは一つのポイントだ。

「ミステリーってジャンルの小説あるよね。ミステリーというのは謎ときなんだけど、漂着物の正体も謎ときみたいなものだよ。僕も拾ったときはわからなくて、しばらくして、ようやく「ああ、そうだったのか」みたいなことがあるから」

まずは……と、①を手に取る。そして「これはクスサンというガの繭《まゆ》なんだよ」と、答えを言った。

「えーっ、ガの繭？」「けっこう大きくない？」「すごい、しっかりしてる」

あらためて手に取ってみて、そんな声があがっている。こんなふうに、山のモノも、海に流れてくる。ただ、クスサンの繭は、まるっきり海と無縁なわけでもない。

「この繭、ずいぶん、しっかりしているでしょう。だから、昔は、クスサンの幼虫が繭をつくる直前に、体の中から繭の糸のもとを取り出して、それをびゅって伸ばして、釣り糸……テグスをつくったんだよ」

続いて、②の正体の解説に移る。

「これ、骨じゃないんじゃないの？　植物とか？　サンゴとか？」と、改めてリクトが言う。

いや、骨です。

「持ってごらん。とっても、軽いから。これがヒント。こんな軽い骨をした動物は？」

「鳥？」

「そう、鳥の骨だよ」

「ペリカン！」

「ダチョウ？」

そう、ダチョウの胸骨だ。

「海岸にダチョウの骨が落ちているなんて思わないけど、これ、本当に沖縄の海岸に落ちていたんだ。沖縄にはダチョウ牧場があるから。食べて捨てられた骨が流れてきたんじゃないかな」

「ダチョウの胸の骨！　なるほど」

「でも、ダチョウは飛べないのに、骨は軽いんだね」

鳥の骨が中空なのは、鳥の先祖の恐竜ゆずりだ。鳥は空を飛ぶようになって骨が軽くなったというよりも、骨が中空だったから空を飛ぶように進化することが比較的容易だった、ということじゃないだろうかと話す。恐竜の骨が中空だったのは、肺から気のうという、呼吸にはたらく器官が骨の内部にまで伸びていて……と、恐竜と鳥の体のつくりについても、少し説明を加える。

「じゃあさ、飛ばない動物、海の生き物の骨って重いの？」

「一番、重い骨って、誰？」

この質問は、なかなかおもしろい。骨といっても、動物によっていろいろな特徴に違いがある。例えば重さを視点にして、どんな動物の骨だったかを読み解いていくこともできる。だから、「通常よりも重い骨」という特徴も、動物の正体を読み解くうえで有効なキーとなりそうだ。ただ、ここでは「重い骨の持ち主」については解答を控えて、その前に③の骨の正体についての話をする。学生たちにはほとんど無視されていた骨だ。この骨は館山に帰省した折に、駅から実家まで歩いて戻る途中の砂浜で見つけた。

「これ、本当に一部分だけの骨だよね。でも、これを拾ったときに、ひょっとして、これって、○○の骨かなと思ったら、あとで本当にその生き物の骨だってわかってね。この骨の正体がわかる自分って、なんてすごいって、自分で自分を褒めてあげたくなったんだ」

そう言うと、また学生が一斉に笑う。

「なにか、ヒントをちょうだいよ」

「魚の骨だよ」

「最初の一文字は？」

いやいや、そういう問題じゃないんだけど。

「サメ」「タチウオ！」「ハリセンボン」「フグ」「アンコウ」……

手当たり次第、学生たちが魚の名前を口にする。

「ヒント。魚の骨って、だいたい薄かったり、細かったりするでしょう。でもね、魚にしては、この骨はしっかりした骨だということ」

「ウツボ」「アナゴ」「ウミヘビ」

また、手当たり次第の名前があがる。ただし、ウツボの骨は、確かにしっかりしている。

残念ながら、この骨はウツボの骨ではないのだけれど。一方、個別の種名でなく「深海魚」という「〝くらし〟によって分類したグループ名」を口にしたのは、ヒビキだ。

「ここにもう一つ、骨を持ってきたよ。③の骨を拾った海岸で、別の日に拾ったもので、もう少しパーツがそろった状態になっているものだ。神経頭蓋骨といって、脳の入っている部分だよ。この骨の、ほら、ここの一部分が、さっきの③の骨だよ」

そう言って、指で示してみる。ただ、神経頭蓋骨という部分だけでも、学生たちにはまだなん

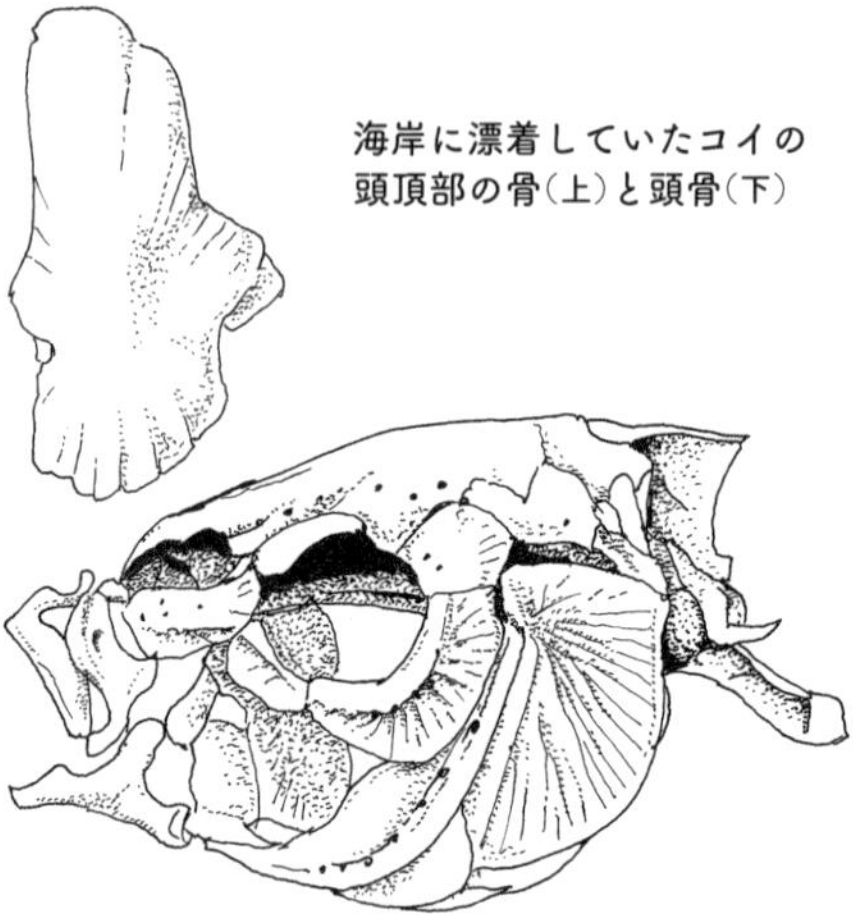
海岸に漂着していたコイの頭頂部の骨（上）と頭骨（下）

の骨だかわからない。最後に、すべてのパーツがそろった頭の骨を学生たちに提示する。

「コイだ」

すかさず、そう答えが返ってくる。淡水魚のコイの仲間は、食卓でよく見かけるサンマやアジ、ブリといった魚たちよりも、ずいぶんと骨がしっかりしているという特徴がある。

「でも、最初のパーツだけの骨で、なんでコイってわかったの？」

自由の森学園時代、コイから頭骨標本をつくったことがあったのだ。それで、コイの骨が魚にしてはしっかりしているという特徴があることを知っていた。だから、海でパーツだけになった骨を拾ったときに、「どこかで見たことあったなあ」と思ったわけ。

「野生のコイっていないの？」

学生が、また、思いもかけぬことを言う。

コイはもともと、野生種だ。ただ、確かに、現在は本当の野生のコイは減少している。人間に改良されたものが放流され、問題になっていることも、よく見聞きする（コイの放流は環境に対する負荷が大きい)。もっとも、離島である沖縄の場合、コイはすべて移入種だ。

「コイって食べれるの?」

そんな質問も飛び出す。これまた、現代の沖縄の学生ならではの質問だろうか。おじいたちの話によれば、田んぼのあったころは、湧水を溜めた池にコイを買っていて、風邪のときなどにそのコイを捕獲して食べるということがあったそうだけれど。なんにせよ、骨を前にすると、いろいろなやりとりが生み出される。

深海魚の〝くらし〟と〝かたち〟

「さっき、ヒビキがコイの骨を見て、「深海魚?」って言ってくれたけれど、深海魚の骨の特徴って、何だろう」

「軽い?」「丈夫?」「パーツが少ない?」

深海魚の絵を描いてごらん、と学生たちに問いを出すと、半数以上の学生はチョウチンアンコウの絵を描き出す。深海魚もまた、「知っているようで、よく知らないもの」の一つだろう。じゃあ、実際に、拾った深海魚の骨を見てみよう、と小さな容器を取り出した。この骨も、館山の駅前の海岸を歩いていたときに見つけたものだ。いくつかの骨が、腐った肉や皮でつながった状態で落ちていたので、拾って帰るか躊躇したのだけれど、意を決して持ち帰り、入れ歯用洗浄剤につけて骨にする。キレイにした骨を見ると、魚の脊椎骨や頭の一部の骨だったのだけれど、ずいぶんと特徴的なものだ。多孔質なのだ。そして、何度か見返すうちに、見たことがある骨だということに気がついた。一度、南大東島の友人から、丸ごと一匹のバラムツを送ってもらい、骨にしたことがあるので、見比べて判定ができたわけ。それにしても、深海魚のバラムツの骨が館山湾に面した砂浜に落ちていたというのが、今でも不思議だ。

バラムツの骨を見せると、さっそく骨のニオイをかぎ出す学生がいるので、笑ってしまう。

「歯磨き粉くさい！」

いや、それは、入れ歯用洗浄剤を使って、骨にしたから。

「タンスのニオイもする」

それは、防虫剤の入った衣装ケースに入れてあったから。

ここまでは、わかる。

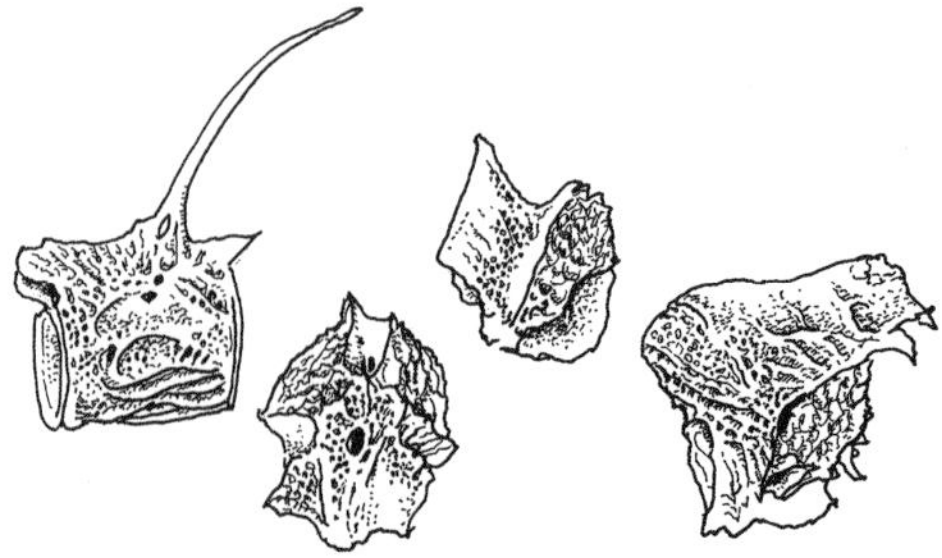

館山湾の砂浜で拾ったバラムツの骨.
非常に多孔質だ

「アスパラベーコンのニオイがする」とカリンが言うのは、意味がわからない。

アスパラベーコン？

ともあれ、この骨の持ち主は、こんな魚だよ、と写真を見せる。

「この魚はね、三切れ以上、食べちゃダメなんだよ」

「なんで？」

「深海は餌が少ないという話は、前に授業でしたことがあるよね。だから、無駄に動かずに餌が来るのを待っていたほうがいい。ただ、深海だと水圧がかかるから、浮き袋がつぶれちゃう。気体の代わりに、体に脂分を蓄えて、できるだけ軽くする工夫をしている魚がいるんだ。ただ、このあぶらが人間には消化できない。食べ過ぎると、お尻から油が出てくる」

「えーっ？」

「なに、それ」

ところが、思いもかけぬことに、ミレイが「それ、知ってる」なんて言う。ミレイはアメリカの大学に在籍していたことがある。

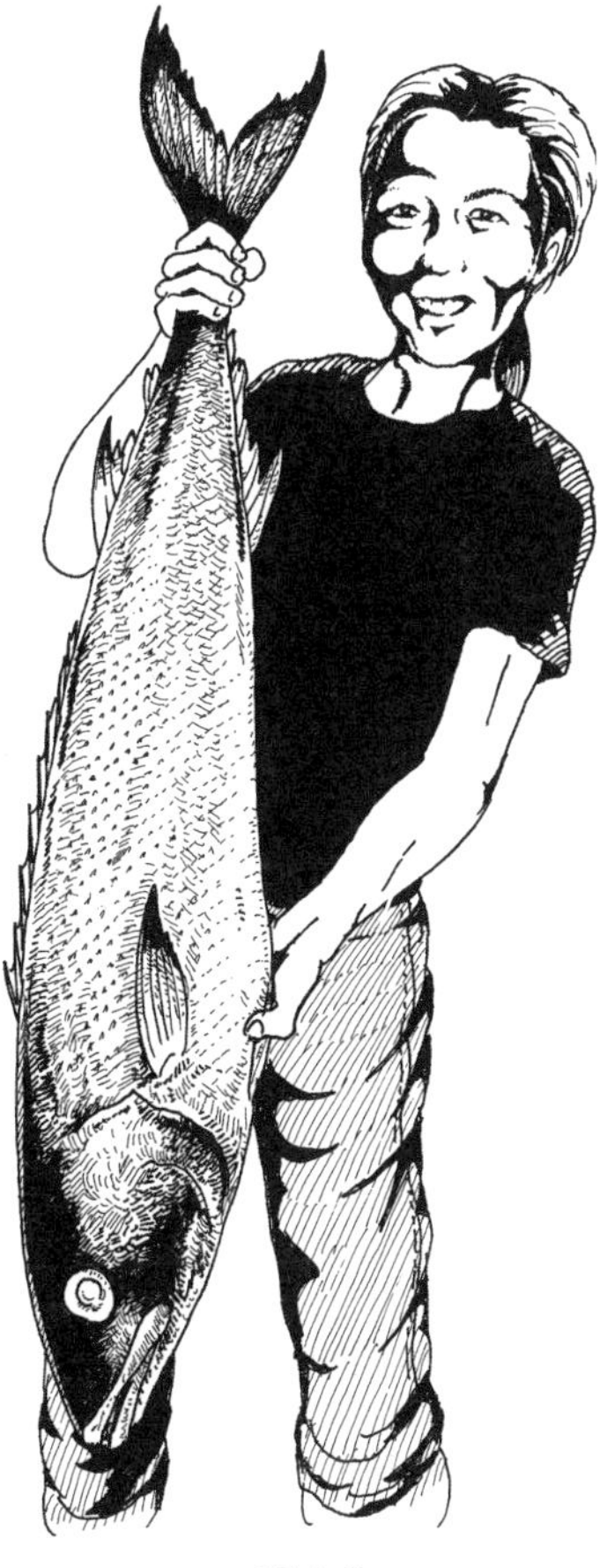

バラムツ

「アメリカの寿司屋で売っているよ。日本で聞いたことがないよって言ったら、「ああ、日本じゃ売っちゃいけないんだ」って言われたから、気になって調べたの」

食べるとおいしいんだけどね。から揚げとか。

「えっ？　でも、お尻から油が出てくるの？」

「油が出てくる前に、おなかがゴロゴロとかするわけじゃないの？」

どうも、気づかないうちにお尻から油が出るっていう話だけれど。

「ミレイの元彼、そうだったよ。そのお寿司食べたあと、お尻がぬれてて、「油っぽいのが、漏れてるよ」って」

「えーっ、ミレイは出なかったの？」

「あたしは、そこで働いてたの」

まさか、体験者を間近で見た学生がいるとは思わなかった。もう少し、深海魚の話を続ける。

この実験室に深海魚が持ち込まれたこともあったよ、と頭の骨を取り出して見せる。

「でかっ！」

「全体でどのくらいの大きさ？」

銀色の細長い魚で、実験室の机の長さほどあった。大きな口と大きな目をした、サケガシラという深海魚である。解体したとき取り出した背骨も、学生に見せる。骨を手にしたダイチが持った瞬間、「やばっ、軽っ！」と、声をあげる。見た目も、重さも、まるで紙細工のような背骨なのだ。「サケガシラの肉は食べてみたのだけれど、これがまずくてね」と言うと、また、学生たちは興味津々だ。「どんなふうにまずいの？」と。

「フライパンで焼いても柔らかいままで、それで、生臭い」

「わーっ」

もっとも、深海魚のすべてがまずいわけではなく、伊豆半島の戸田《へだ》には、深海魚定食を食べさせる店もある。

「コイの仲間の骨はしっかりしているのが特徴で、深海魚の骨は、華奢だったり、スカスカだったりするのが特徴だね。こんなふうに、魚によって骨に違いがある」

そう言って、④の平たく薄い骨を手に取った。

「どこの部分の骨なのかだけ教えてよ」と、学生が言う。

「手や脚じゃないよ」

「えっ？」

鰓《えら》の骨だ。

「えっ？　鰓って一枚の骨なの？」

鰓自体ではなくて、鰓を覆う、鰓蓋《えらぶた》の骨だよ、と説明をする。さらに、魚が陸上に進出したとき、鰓呼吸が必要なくなり、鰓蓋の骨がなくなってできたのが、僕らの首の部分だよ、という話をする。

「でも、これって、とっても大きくない？」

多分、マグロかカジキの鰓蓋だと思う、と答えた。ここで、一本の細長い骨を取り出して、学生たちに手渡した。

「角？」

いや、学生たちに差し出したのは、カジキの仲間の背びれの骨だ。

「やばっ」「カッコイイ」「重っ！」「そんなに？」「想像しているものの、三倍重い」「そんなに重くないじゃん」

ふざけあっている。が、かなりしっかりした骨であることは確かだ。与那国島は、カジキ漁で有名だ。背びれの骨は与那国島の海岸で拾った骨だ。もう一つ、与那国島の海岸で拾い上げた骨を取り出す。尾びれの付け根の骨である。これも、一見、魚の骨とは思えないほどがっちりしている。

魚の脊椎骨もいろいろで、原始的な体制のままのサメの脊椎は、ごく単純な円盤状のものだよと、これも海岸で拾った大型のサメの脊椎を取り出して見せる。すると、ニオイをかいで、「倉庫のニオイだ」なんて言っている。これを聞いた、ほかの学生が、さっそくサメの背骨を手に取りニオイをかいで、「うん、湿気多めの倉庫のニオイ。ぜったい、ゴキブリもいる」なんて言う。まあ、楽しそうなのはなによりだけど。

ところで、カジキやマグロにも種類がある。そのなかには、深海まで潜る種類もいる。メカジキヤメバチマグロという種類だ。

「なんで、「メ」って、ついていると思う？」

「目がでかい？」

水深二〇〇メートル以深が深海だ。深海といえば「暗い」「重い（水圧がかかる）」「寒い」というのが、学生たちのイメージだ。だから「水圧に対抗している深海魚の骨は丈夫でしっかりしている」と思ったり、「真っ暗な中でくらしているから、チョウチンアンコウみたいに、チョウチンがあったり、目玉が大きかったりする」と思ったりしている。

水深二〇〇メートルを超えると、太陽光がほとんど届かなくなる。そのため、植物が育つことができない。生態系の基盤となる生産者が存在できないのだ。そのため、深海の生態系は、地上や浅海とはずいぶんと異なっている。例えばクジラが死んで沈むと、それは深海底の生き物たちの大きな餌資源として利用される。この場合、食物連鎖の基盤は、生産者ではなくて、腐肉やそれを分解するバクテリアだ。また、夜になると、餌の多い海面近くに浮上して餌を採る深海魚もいる。この場合は、垂直の移動をすることで、海面近くの植物プランクトンから始まる食物連鎖に、夜だけ割り込んで、資源を深海に持ち帰るという活動をしていることになる。はたまた、海底火山の噴出口付近には、特殊なバクテリアが繁殖し、そのバクテリアによって保たれる生態系が存在している。この場合は太陽光から始まるほかの生態系とは、そもそも出だしが異なっていることになる。

いずれにせよ、地上や浅海に比べ、深海には利用できる資源が少ない。一口で言えば、餌が少ない。僕は授業で「深海は暗い、重い、寒いだけじゃなくて、生き物がいない……つまり、さみしいという環境なんだよ」と言っている。

「だから、深海魚のかたちを、一番決めている要因は、餌不足。それで、深海魚には、口が大きいものが多いよね」と。一方、「暗い」という点でいえば、二〇〇メートル以深でも、しばらくは、ごくわずかの光は届く。そのため、その範囲を生活場所に選んだ魚は、目がきくほうが有利だ。一方、それ以上、深い場所だと、まったくの暗黒になり、目の役割は小さくなってしまう。つまり、深海魚の目の大きさには、同じ深海といっても、深さによって違いが出てくる。そういう説明も付け加えている。

はい……、と言って、メカジキの目玉の骨を取り出して見せる。直径一〇センチほど。ちょうど手のひらいっぱいのサイズの、巨大な球形をした骨である。メカジキが潜るのは、深海といっても、まだ若干の光が届く範囲だからだ。

「でかっ!」

「目玉って、骨なの?」

目玉の周りに骨がないのは、脊椎動物のなかでは哺乳類ぐらいだ。僕らのほうが、変わっているのである。

深海魚については、最近の遺伝子の研究から、その〝れきし〟について、いろいろな新しいことがわかっている。例えば深海に棲む魚たちは、かつては、新しく進化してきた魚たちに追われた古いタイプの魚が多いと考えられていた(西村 一九八一)。学生たちが、深海魚といえば思い浮かべるチョウチンアンコウを含んだアンコウ目の魚も、どちらかといえば、古いタイプの魚の仲間に位置づけられていたのだ。ところが、遺伝子の研究により、アンコウは最も進化した魚の仲間であるフグに近いということが判明した(宮 二〇一六)。

海に落ちている魚の骨にもいろいろある。魚の骨からも〝くらし〟や〝れきし〟が見えてくる。

ユリムン

学生たちに漂着物を見せたとき、その正体について、一番議論を呼んでいたのが、⑤の、膨れたハートのような中空のモノ。

「海の生き物だよねえ」

⑤を前にして、あらためてそんなやりとりが始まってしまう。

「クジラの心臓とか?」「ジュゴンのきんたま?」

「膨れたハート」を最初に拾ったのも、その正体に気づいたのも、まだ自由の森学園時代のことだった。正体がわかったのは、夏休みに生徒と一緒に八丈島へキャンプに行ったとき。生徒が銛で突いた、ハリセンボンの仲間であるイシガキフグの体の中に、この「膨れたハート」が入っていた。これは、ハリセンボン類のウキブクロなのだ。ハリセンボンが死んだあとも、丈夫なウ

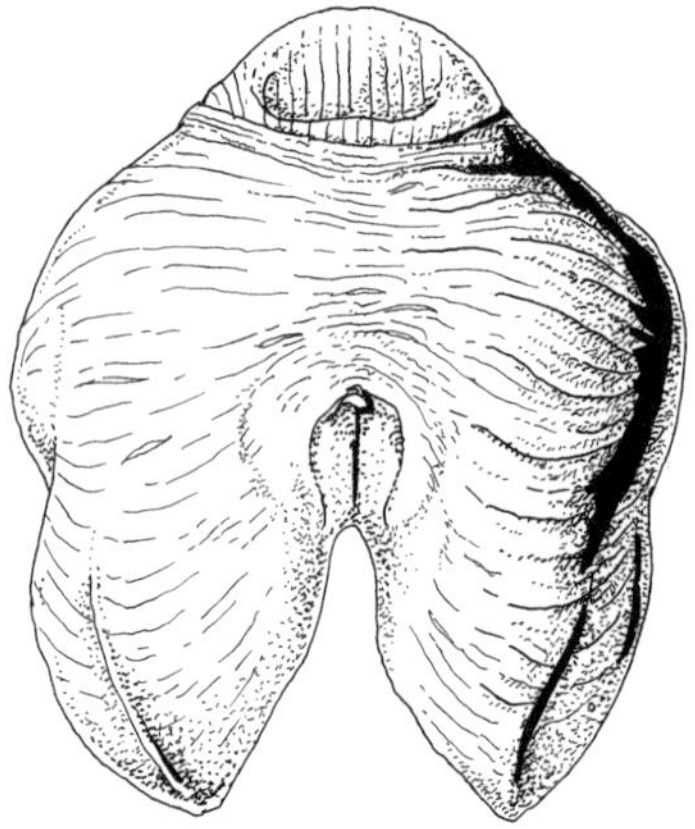
ハリセンボン類のウキブクロ

キブクロだけが海を漂って、海辺に漂着することがあるわけだ。

「日本では昔から、海岸にハリセンボンが漂着することが知られていて、江戸時代の本草書とかにも出てくるんだよ」

そんな話をする。ただ、ハリセンボンが打ち上がる海岸と、その時期というのが決まっている。そして、それが決まっているのは、海流と季節風の関係なんだと説明をする。海辺にはいろいろなものが流れ着いているけれど、そのなかには、海流に乗って、はるか彼方から流されてくるものがある。

そんな海流を調べるために使われているのが、海流ゴマだ。⑥のコマ状のものは、回して遊ぶおもちゃではなく、観測船から海中に投げ込んだあと、海流に運ばれ、浜辺に打ち上がったものを回収することで、海流の流路や流速を観測する用具なのだ（海流ゴマの表面に印刷されている文字の中で、海流を観測するということがわかる部分にはテープを貼って、見えないようにしておいた）。

「あたしも、何か流してみたい」とカリンが言う。

周囲からさっそく、「それって、ゴミになっちゃうから」と突っ込みが入る。

自然界には、そうした海流に種子や実を乗せ、遠くまで広がっていく植物たちもある。海流散布と呼ばれる種子散布の方法だ。⑦は、ゴバンノアシというサガリバナ科の木の実だ。小ぶりのカボチャのような実だけれど、持つと驚くほど軽い。種子の周りにコルク質や繊維質の果肉が覆っていて、海にぷかりと浮かぶ。東南アジアや太平洋の島に広く分布している植物で、日本では石垣島や西表島に、ごく少数の木が生育している。その実の漂着は沖縄の海岸だけでなく、僕の生まれた館山の海岸でも見かけることがある。海岸で漂着種子を拾い集めていると、日本ではまったく見かけない木の実や種子が流れ着いていて、いったいどんな植物なのかと首をひねることもしばしばある。海のむこう……異世界に触れ合うことのできる場が渚なのだ。

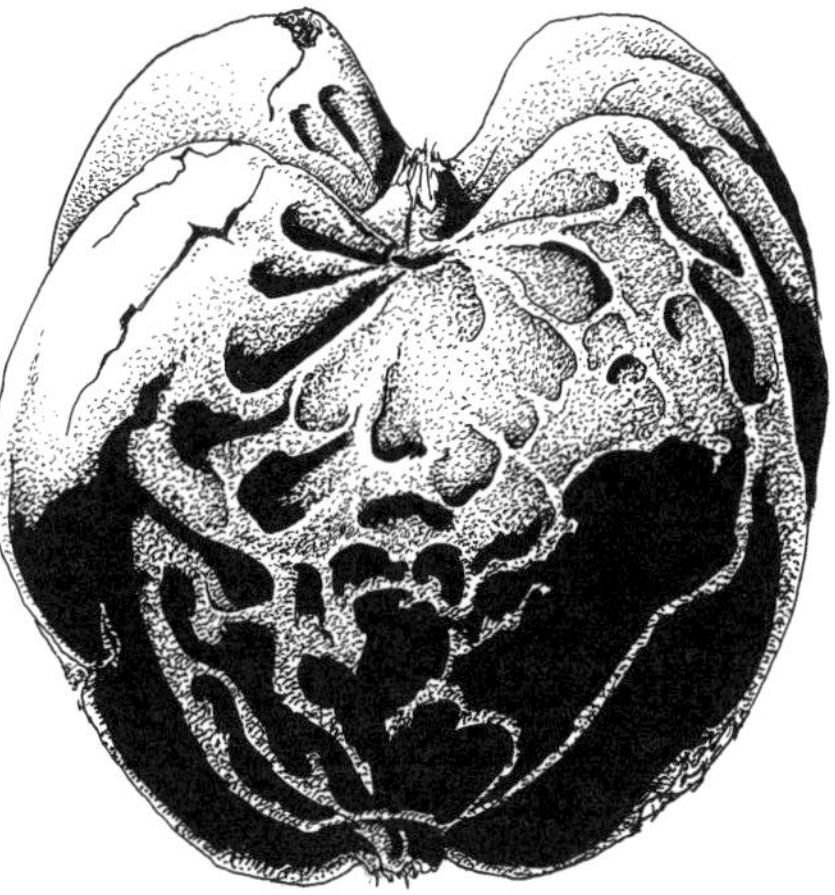

ゴバンノアシの実

沖縄の島々の人たちは、先に書いたように、漂着物をユリムンと呼び、ニライカナイからの贈り物だととらえていた。

「浜に打ち上がらなくても、沖合から岸辺に近づいてくるもの、例えばジュゴンなんかも、ユリムンだと思っていたんだね」

そう言って、僕はジュゴンとコビレゴンドウの肩甲骨を取り出した。ジュゴンとクジラの先祖が違うという話は、以前に授業で取り上げた。この日は、あらためてジュゴンの骨を手に取ってもらい、「さっき、やりとりの中で、重い骨って、

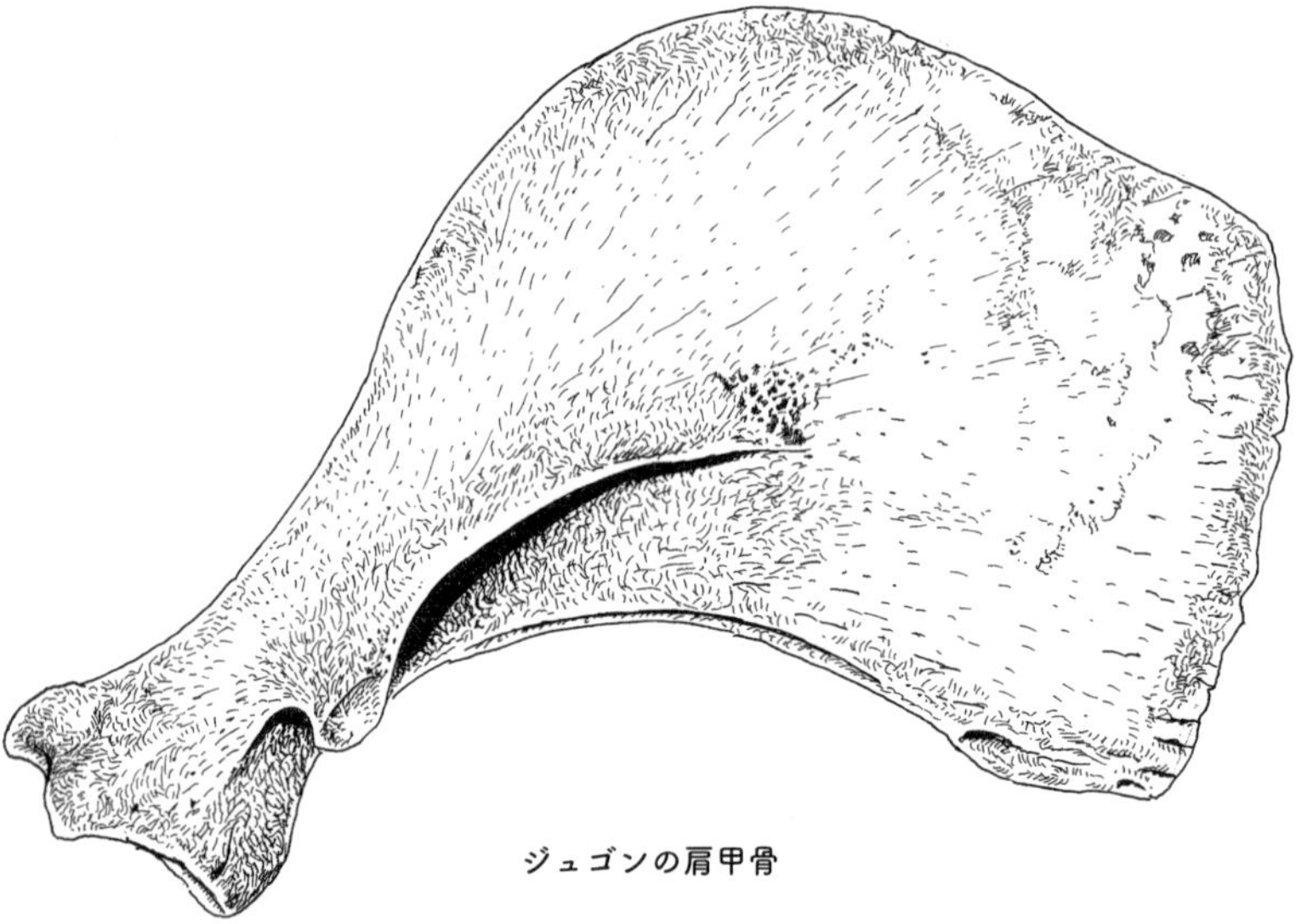

ジュゴンの肩甲骨

誰の骨？ という話が出たけれど、ジュゴンが重い骨の持ち主だよ」と話をした。

「マナティとジュゴンって、違うの？ マナティは見たことがあるけど、ジュゴンは見たことがないし」

学生が言う。アメリカ大陸に棲んでいるマナティは、美ら海水族館で飼育されている。だから、学生は「見たことがある」。一方、古くから沖縄の人々と関わりがあったはずのジュゴンは、今や学生たちにとって「見たことがない」動物となっている。

「僕も骨を拾ってはいるけれど、生きて泳いでいるジュゴンは見たことないなあ。ジュゴンとマナティには、しっぽの形に違いがあったりするよ。あと、これとは別にステラーカイギュウという種類が、一八世紀までロシアのベーリング島の沿岸に棲んでいたんだけど、見つかって三〇年ぐらいで、みんな食べられて絶滅してしまった。ちょうど、ラッコも見つかったころの話で、その毛皮を求めてやってきた漁師の食糧にされてしまったんだ。本を読むと、その島の海岸には、まだステラーカイギュウの骨が落ちているらしい。体長が七メートルというから、肋骨とかも、大きいんだ。この骨、拾い上げてみたいなあ」

「それが、ゲッチョの物欲か」

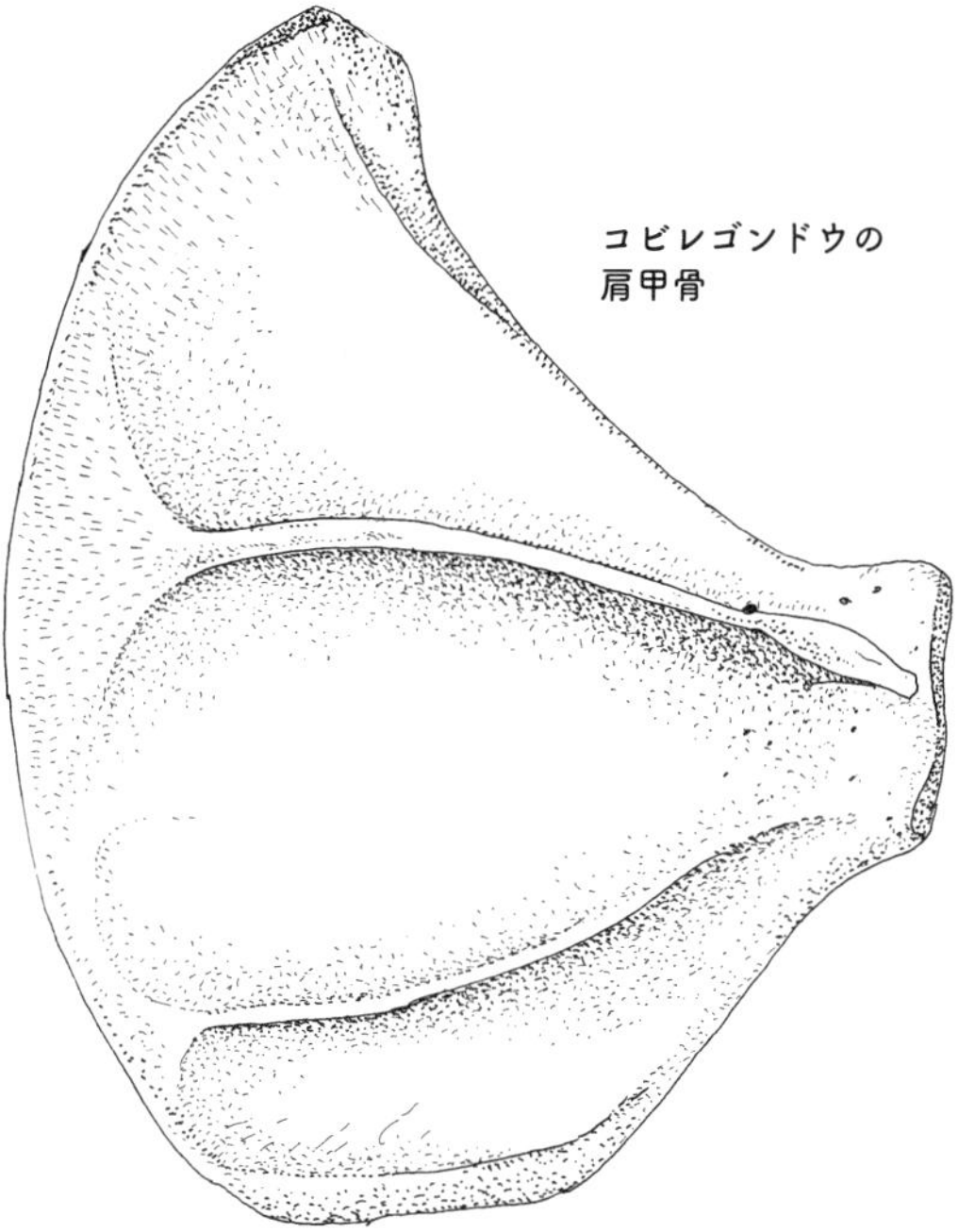
コビレゴンドウの肩甲骨

学生が笑う。なにせ僕が、服にもほかの持ち物にも、まったく頓着しない人間であることを、学生たちはよく知っているから。

「こんなふうに、漂着物からも、いろいろなことが見えてくるけれど、この前、また謎の骨を拾って、その正体がわからなかったんだ」

そう言って、新たな骨を取り出して学生に見せる。

「H型してる！」

ニオイ、ニオイ！　の声がする。うちのゼミ生、本当にニオイをかぐのが好きだ。

「このニオイ、かいだことがある」

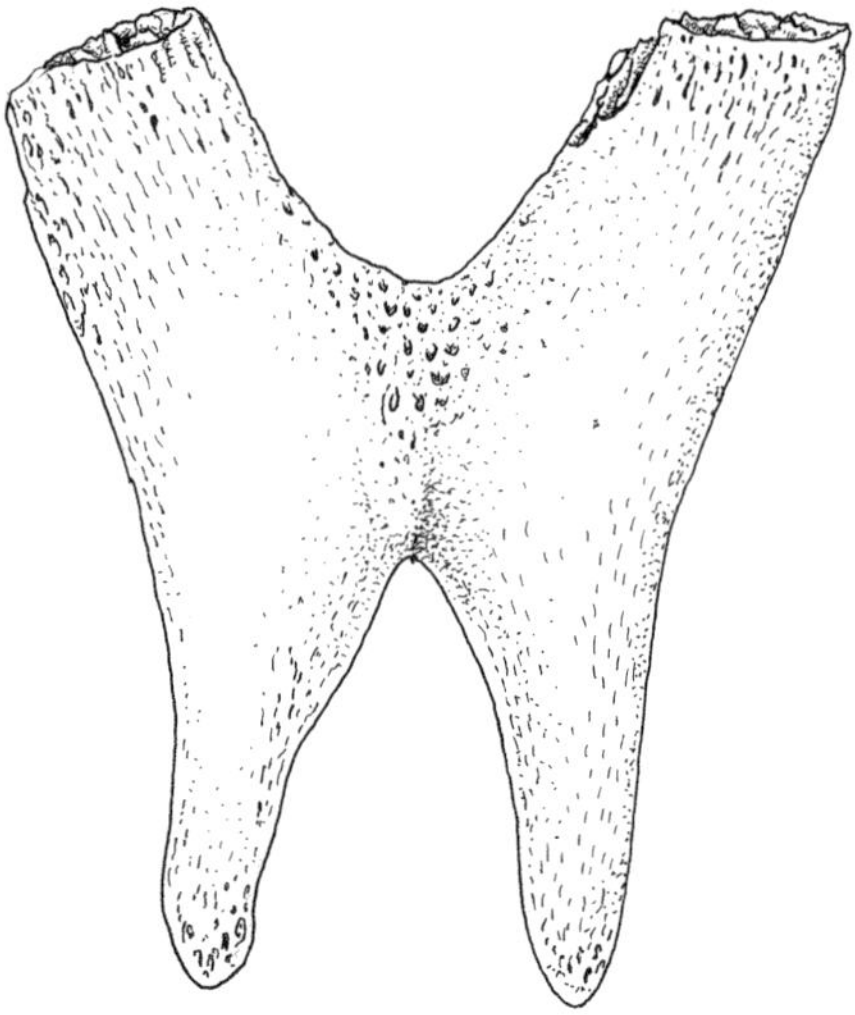

アカボウクジラの胸骨

「ああー、児童館のニオイがする」

ショウノスケがまた、妙なことを言う。

「年季の入った家庭科室のニオイだよ」

「換気扇のとこのニオイ」

なるほど、確かに、酸化した油のニオイがする。児童館は子どもたちの汗のニオイがするということか。このH型の骨というのは、もちろん、アカボウクジラの胸骨だ。

「この前、名護の数久田に、おじいたちの話を聞きに行ったんだ。そうしたら、ピトゥ漁の話になった。ピトゥというのは、ゴンドウクジラのことなんだけどね。それで、群れが来ると、みんなで岸辺に追い込んで、銛をうちこんで、もう、海が真っ赤になったって」

「うわぁ」

「ところが、ピトゥのなかに、たまに、ムイピートゥというのがいるんだって。それで、これを食べると、お尻から油が漏れてくる。だから、「漏らしクジラ」で、ムイピートゥ」

あははは、と学生たちのひときわ大きな笑い声。

「このムイピートゥが、この骨の持ち主のアカボウクジラなんだ。この骨、スカスカでしょ。深海魚の骨はスカスカという話をしたけれど、このアカボウクジラは、クジラのなかでは一番深くまで潜る種類なんだ。三〇〇〇メートルぐらいまで潜るんだって」

「ダイオウイカを食べるのは何だっけ」

「マッコウクジラだよ」

「マッコウクジラよりも潜るの?」

「そうらしい」

「そんなに潜ってどうするの?」

「やっぱりイカを食べてるよ」

さまざまな関わりや、拾いもの、さらにはおじいたちからの聞き取りも合わさって、一時間の授業が姿を現す。学生たちとのやりとりをもとに、改善を加えれば、金沢での授業をなんとかつくることができそうだと思えてきた。

世界の相対性

ゼミ生への授業をしたあとで、もう少し付け加えたかった話があったことに気がついた。それは、世界は相対的であるということだ。

江戸時代、常陸国と呼ばれた茨城の海岸に、うつぼ船と呼ばれる、奇妙な船が漂着したという伝承がある。一八〇三年、球形の釜のような異形の船が漂着したという話だ。この船の中には、雪のように色が白く、黒く長い髪をもつ若い女性が一人乗っており、小さな箱を持っていたが、話はまったく通じなかったという(柴田編 二〇〇八)。

不思議な話だ。本当にこのままの姿をした人や船が漂着したのかはわからない。ただ、異国から人が流れ着くことが、まるっきりなかったわけではないだろう。そして、まったく言葉や風俗の異なる人が漂着したら、情報の限られていた当時、さまざまな憶測や伝聞が生み出されたと思う。世界が相対的であるというのは、これとは逆に、日本から異国の渚に漂着した人々の例もあったという点においてだ。僕たちは、日本の渚に海外からの漂着物が流れ着くのにはすぐに気づくけれど、日本から流れ出たものが他国の渚に漂着することについては、あまり想像ができていないように思う。

鎖国が国是であった江戸時代は、沿岸航海の技術しか保持されていなかったため、一度、嵐によって帆柱を倒され、沖合に船が流されてしまうと、海流まかせで漂流するしかすべがなかった。難破船のなかには、中国やフィリピン、太平洋の島々などに漂着した例が知られている。はたして、漂着した、言葉の通じない人々を前に、当時の現地の人々は、どのような思いを抱いたのだろうか。

日本人を乗せた船の漂着地が、無人島だった場合もある。例えば、伊豆諸島の南に位置する鳥島がそれだ。黒潮の流路にあたる鳥島には、江戸時代、何度も遭難船が漂着している。島に漂着した船乗りのなかには、生還を果たし、漂着から生還に至る苦難の体験を語り伝えた者がいる。その代表といえるのが、土佐出身の長平《ちょうへい》だろう。

土佐を出航後、嵐で難破した船は、長平らを乗せたまま漂流したのちに、鳥島に漂着する。ほとんど着の身着のままで島に上陸した長平らだが、やがて長平を残し、ほかの乗組員は亡くなってしまう。一人残された長平が満足な植生も見られない鳥島で、生き永らえることができたのは、海洋中の孤島を繁殖地にしているアホウドリの存在だった。長平はアホウドリの繁殖期は生きたアホウドリをとらえて食べ、繁殖期以外は、繁殖期にとらえたアホウドリを干し肉にして蓄えて食糧とした。しかも、長平は、島に漂着してから三年の間は生のままのアホウドリを口にするしかなかったという。三年後、火打石をもつ漂流民が島にたどり着く。さらに別の船に乗った漂流民が大工道具を島に持ち込む。彼らは力を合わせて自力で島を脱出すべく、船の建造に取りかかる。ただし、火山島である鳥島には船材になるような木は生えていない。いきおい、材は島に漂着する木材に頼るしかなかった。難破した船の材が漂着する。船から海に投げ捨てられた資材が漂着する。それらをつなぎあわせて船をつくり上げるだけでも、長平らは六年もの歳月を費やしている。結局、島をあとにし、日本の領土にたどり着くことができるまで、長平が漂流してから一三年の月日がたっていた。

海岸でアホウドリの骨を拾い上げるたびに特別な思いを抱いてしまうのは、長平の物語に結びつけて考えてしまうからだ。ただ、アホウドリの話を授業で紹介するには、これはこれでまた、別の一時間が必要だろう。ユリムンの授業では、日本から流れ出したものが流れ着く渚があるということを、何らかの形で伝えようと思う。

“かたち”に残らない学び

年末。一人、館山の実家で大みそかの夜を過ごし、元旦を迎える。前日は強い風が吹いていたが、明けた翌日は天気もいいし、風もない。もう少し、海を回って、骨を拾ってみようと思う。その日の晩は、池袋の妻の実家で、妻や子どもたちと過ごす。さらに翌日。僕は、カイに電話をした。もし、時間があったら、少し会わないかと。喫茶店で待ち合わせ、しばし話をすることに。

カイはイケメンだ。黒いベストとシャツに身を包んでいる。ズボンもスリムで、スタイリッシュだ。二〇年着つづけている、ただ一着しかもっていないよれよれのセーターに、しみだらけの作業ズボンの僕とは雲泥の差だ。カイの手提げの中には、これまたスリムなアップルのパソコン。一方の僕は、これは四〇年近く使っている年代物のザックが足元に置かれているが、肩紐もちぎれかけ、底も抜けかけている。

「コスパの話が気になってね」

カイを呼び出した理由を、そんなふうに話す。

「なんで、コスパの話になったんでしたっけ?」

「歯学部の学生はどうしても国試対策を気にして……という話だったよ」

「そうでした」

「そんな話をしてから、自分のやっている骨拾いって、コスパ的にはどうなんだろうなんて思いだしてね。ところで、カイは自由の森に入ってから、骨をやり始めたの？」

「もの心つくころから、生き物が好きでしたね。両親が美大卒なんです。それで、許容範囲が広くって。僕がモグラやネズミを拾って帰っても、何にも言わなかったんです。自由の森に入ったのは、あんまり深い考えはありませんでした。姉が通っていたし、地元の学校に行っても、詰め込み教育か、体育会系だなあと思ったぐらいで」

そんなやりとりから話を始めた。

「コスパのいい学びって、一の次に二があって、それで最終目的地が資格取得だったりするでしょう。目的が〝かたち〟に残ることですよね。逆にコスパが悪い学びって、学びの結果が必ずしも〝かたち〟に残ることではないんじゃないですか？」

「そうだね。はっきりと、〝かたち〟として言い表せないけれど、何かを学んだって思うときがあるよね」

「何かを始めるとき、最終的に、必ずしも、〝かたち〟にならないかもしれないじゃないですか。だから、僕は何かをやるときに、何本も同時に企画を走らせたりしていますね。今も、メクラヘビと同時に、コウモリの鼻の研究もしていますから。博士課程のときには、咀嚼筋の研究をしていたので、それも続けていますし」

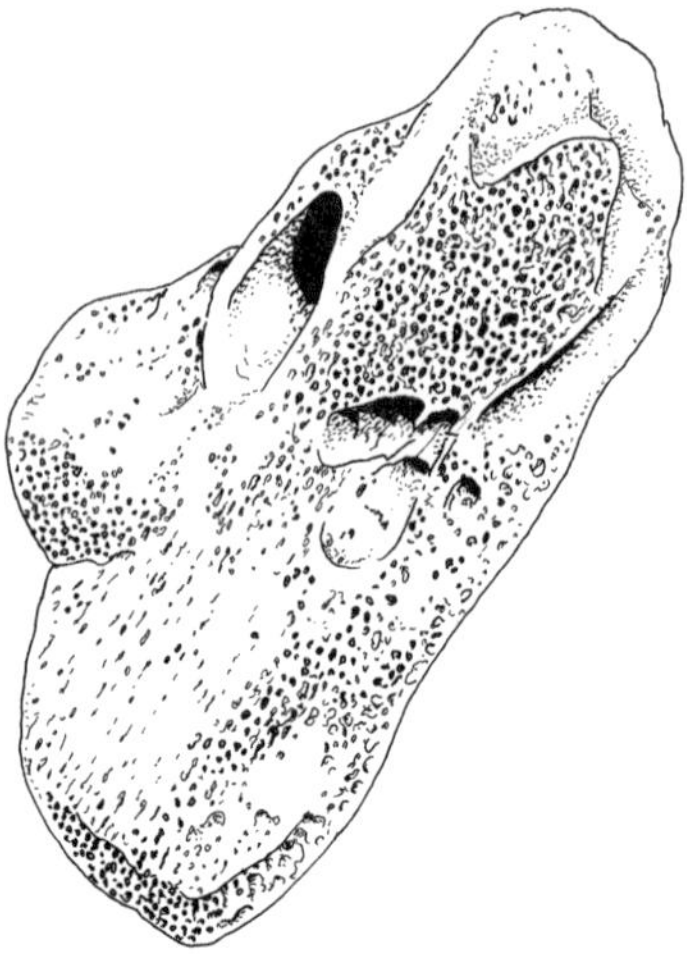

漂着したクジラの頭骨のかけら

コウモリの鼻！　それはまた、マニアックな研究のような。でも、僕もそうかもしれない。なんとなく、これはおもしろそうだと思い、追いかけ始めたけれど、途中で壁にあたって追跡がとまってしまったり、初めの目標とはまるで違った結果にたどり着いたり。何がどうなるかわからないから、目の前に来た「おもしろそう」と思うことは、とりあえず、思ったときに飛びつくようにしている。何かを始めるときに、その結末まで見通せることなんて、そうはない。

「そういえば、これ、昨日、館山の海岸で拾った骨なんだけど」

僕は元旦の浜歩きで、新たに拾い上げた骨を、ザックの中から引っ張り出して、カイに見せた。長さは一〇センチほどの不定形の骨だ。だいぶ海の中を転がされ、すり減っているモノ。表面にたくさん、小さな穴があいている。海綿質の骨だ。

「どこなんでしょう。重みがありますね」

「クジラかなあと思ったんだけど」

「リョウ君がいたら、すぐにわかるかもしれませんね。どこだか、全然わからないなあ。ちょっと、写真を撮っていいですか。リョウ君に写真を送ってみます」

スマホで写真をぱちり。

「ゲッチョが、海岸に骨を拾いに行くの、僕はすばらしい、骨へのアクセス方法だと思いますよ。前に、カジキだかマグロだかの胃袋からも、何か見ているという話をしてくれたじゃないですか。そういうアイデアを、自分でも自然へのアクセス方法として考えたいんです」

カイがそう言う。カジキだかマグロだかというのは、小笠原で漁師をしている自由の森学園の卒業生が送ってくれた、メカジキやメバチマグロの胃袋の中から出てくる深海魚の骨を調べてみたという話だ。ホネホネサミットに参加したとき、不器用な僕が、骨格標本作製の技術を人とはりあっても、ほとんど意味がないことを悟った。では、僕なりの骨との関わりはなんだろうと考えて、「物語」を紡ぎ出す骨との関わり方を考えるようになった。出会いがあって、人とのつながりがあって、ある骨が、さまざまな物事に結びついて、時に思わぬ結果を生み出すことがある。そのようにして紡がれた物語を、例えば授業で紹介する。海岸で骨を探すのは、そんな「予期せぬ出会い」を期待してだ。

カイの、コウモリの鼻の研究の中身を少し聞く。パソコンを開いて「こんな研究手法もあります」と、マイクロCTスキャンを使って、解剖をせずに小さな動物の体の中のしくみを知る方法があって……、と画像を見せてもらう。すごい。こうした最先端の研究手法から骨と結びつくのは、それこそカイに任せようと思う。

「リョウ君から返信がありましたよ」

やりとりのさなか、カイがそう言う。

「ハクジラの上顎骨っぽいそうです。眼窩下孔《がんかかこう》あたりの骨かなって」

すごい。こんなかけらで。しかも写真だけで。わかる人にはわかるのだ。

モノに物語が付随していくことがある。海岸で拾い上げた骨に、この日のやりとりが一つ付け加わった。

予測不能で多重的な学び

正月休みが終わり、また沖縄での教員生活が始まった。あっという間に、もう二月だ。週末、上京する。神奈川の小学生への骨の授業。

「人間はね、モノを道具にして、生きてきた動物だよ」

そんな話から授業を始めた。

「でも、動物たちは、道具をもっていない。動物たちは、全部、自分の体を使って、いろいろなことをしなくちゃいけない。だから、骨を見ただけで、どんな〝くらし〟をしている、どんな動物かわかるんだよ」と。

集まった五〇名あまりの子どもたちに、沖縄から送り出した骨を手に、骨から生き物たちの〝くらし〟と〝れきし〟が見えてくるという話をする。

授業が終わって、教材に使った骨を段ボール箱にしまい込む。

この日は、授業が終わると、池袋の飲み屋に向かった。年に一度、生き物好きの自由の森学園の卒業生や元同僚たちが集う日なのだ。

かつて高校生だった彼ら・彼女らも、もう四〇代の半ばを超そうとしている。彼ら・彼女らの子どもたちが、もう二十歳《はたち》ぐらいになっているのだから。

卒業生たちと、気の置けない会話を交わす。酔っぱらいながらあれこれ話をして、なんとなくわかったことがある。学びにコスパを求めるのは、それこそ、即時的に物事を考えたときの問題の立て方だと。

「これをすると、こうなる」。こんなふうに、学びに単一の目標が立てられるのは、時間をごく限って考えたときの話だ。本当は、物事は、多重的な意味あいをもっている。ただしそれは長い時間をかけて見なければわからないこと。

この日、僕らは、「こんなことがあったよね」という懐古談にふけっていたわけではなかった。僕らが互いに交わしていた会話の中身は、「今は何をしていて、これから何をしたいか」という話だった。そして、「今、そう思うのは、あのときの、あれが……」という形として、自由の森学園時代の話が語られた。僕らは、事後的に物事の意味を発見することができるのだ。だから、ある出来事の意味は、あとになって、いくらでも付け加えることができるのだと思う。

「これをすると、こうなる」という考え方は、まさに消費社会的に、いくらのお金を払えば、即座に、ある商品が手元に届くというシステムの反映に過ぎない。こんなふうに思ってしまうのも、一つの魔法をかけられている結果としての症状のようなものだろう。しかし、物事に、たった一つの意味しか見出せないのは、それこそコスパが悪いんじゃなかろうか。何度も思い返し、その都度、何度も新たな解釈を引っ張り出せる学び。自由の森学園で僕が出会った学びというのは、そういうものだったと思う。

集まりの席に、僕のクラスの生徒だったリョウコもいる。彼女は今、精神保健福祉士だ。精神保健福祉士である彼女が、なぜこの生き物好きの集まりに来ているかというと、彼女が仕事の傍らバリバリ山登りをしているのを知った、彼女の同級生で会の主催者であるノリトが、おもしろがって声をかけてみたのだという。高校時代、リョウコは美術が好きだった。美術系の大学に進学した彼女が、山登りをし、精神疾患をもつ人々の支援を仕事にするなんて、おそらく本人にも思いもかけぬことだったろう。人というのは、こんなふうに、予測不能で多重的な存在だ。だから学びも、本来は予測不能で多重的なものではないだろうか。

「まあ、教員やっていて「病んだ」と思ったら、相談の電話を入れてね」

リョウコが笑って、そう言ってくれる。ありがたい。

しんどいと思うことも多いけれど、教員をやっていてよかったと思えるのは、さまざまな、本当に思いもかけぬようにさまざまな人生を歩んでいる元生徒たちに、再会できることである。

5
プラスチックの教室――本物にふれて目を肥やす

プラスチックはどんなモノ?

二月下旬。再び沖縄から東京に飛び、そこから新幹線で金沢へ。金沢駅に到着したのはすでに夜の一〇時を過ぎていた。駅にはキノコが迎えに来てくれている。

翌日が、漂着ゴミについてのシンポジウムの本番だ。

会場となった図書館の一角にテーブルを出してもらい、沖縄から持ってきた漂着物を置く。シンポジウムの休憩時間には、興味深そうに机の前に集まってくれた参加者を前に、「これ、なんだと思いますか?」と、学生たちと交わしたのと同じやりとりを繰り広げてみた。そして、パワーポイントを使いながら「漂着物は自然からの贈り物」という話をする。そのシンポジウムで、思いもかけなかった一言に出会ってしまう。

シンポジウムを主催していた能登里海教育研究所の研究員をしているウラタさんが、金沢の子どもたちへの環境教育実践の結果報告をする。そのなかで、子どもたちにプラスチックについてのイメージアンケートを行った話が紹介されていた。プラスチックはなかなか分解されないために、いつまでも海中を漂い、海岸に打ち上げられた後も環境の中に残り続けるのだけれど、子どもたちにプラスチックのイメージを聞くと「壊れやすい」という回答がかなりあるのだという。

「子どもたちのイメージにある、壊れやすいということと、プラスチックの問題である分解できないということが、どう結びつけられるのでしょう。これは、環境教育のなかでプラスチックがどういうモノか教えられていない、ということじゃないでしょうか」

ウラタさんはそう言った。この一言にぎくりとする。僕はこのシンポジウムに、「漂着物とひとまとめにされるモノは、ゴミばかりじゃなくて、自然からの贈り物もあるんだよ」という立ち位置で話をした。ところが、そんな僕も、自分が「海岸に流れ着くプラスチックはゴミ」という見方に安住していることに気づいてしまったのだ。モノに根差した理科の授業というのが、父から受け継いだ授業方針であると自任していたはずなのに、身の回りにあふれるプラスチックを、モノとしてきちんと見ることができていないことに気づく。

シンポジウムに参加して、たくさんの宿題をもらった子どものような気分になる。

プラスチックの歴史

シンポジウムのなかで「世界で初めてのプラスチックはセルロイドです。ビリヤードの球はもともと象牙でつくられていたんですが、その代用として生み出されたのがプラスチックなんです」とウラタさんが話をしていた。

プラスチックをはじめとする有機化合物は、化学のなかでも複雑で難しい分野だなあと、これまでほとんど近寄ろうとしてこなかった。ウラタさんとのやりとりであらためてそのことに気づかされたのだけれど、同時にウラタさんの話から、プラスチックは「代用品」として生み出された歴史があることにも気づく。

沖縄本島南部・南城市の小谷《おこく》でお年寄りに話を聞いたとき、昔は集落の周りのホウライチクからザルをつくるのが盛んで、漁業で有名な糸満に持って行って売ったものです、という話になった。こうした竹細工はやがてプラスチック製品の普及とともに、姿を消していってしまう。石垣島のお年寄りに話を聞いたときも、昔はビニールひもなんてないから、田んぼの農作業に使う縄には、耐水性のある植物繊維が必須で、それには特定のつる植物を使うという知恵があった、ということだった。今、身の回りの日用品にはプラスチック製品がとても多いけれど、それはみんなかつて別の材料でつくられていたものたちであるはずだ。

ところで、沖縄に戻り、プラスチックの歴史を調べるうちに、プラスチックそのものではなく、プラスチック時代の到来によって「置き換えられたモノ」とは、どんな「モノ」だったのかということに、より興味が出てきた。一八五六年に世界最初のプラスチックと呼ばれるセルロイドが開発されている。つまり、一九世紀半ばごろまで、人々は暮らしのなかで、どんなモノに日常的に触れていたのだろう。

プラスチックは主に石油を原料としている。すなわちプラスチックの歴史は、石油の歴史と関わっている。石油が広く人々に使われるようになったのは、一八五九年、アメリカのペンシルベニアで油田が発見されて以降だ。

今、僕たちは、暗くなれば当たり前のように電灯をともしている。しかし、電気が一般家庭に普及する以前は、ランプが使われ、そのランプに石油（灯油）が使われる以前は、植物油や動物油を燃料とした、石油ランプよりも扱いにくいランプや、ロウソクが光源に使われていた。プラスチックや石油時代以前の「モノ」の代表として、ロウソクがある。僕はそんなふうに思うようになった。

ロウソクに特別、目がとまったのは、それまでも大学の授業で、実験材料としてロウソクをよく使用していたからだ。わざわざ理科教材屋に発注しなくても、ロウソクならスーパーでも手に入れることができる。ロウソクは加熱するとすぐに融《と》けるし、燃えるという化学変化も観察できる。理科に苦手意識をもっているような学生たちにとっても、身近にあって扱いやすい実験材料だ。ロウソクを水と一緒に加熱すると、融けたロウは水と分離するけれど、サラダ油と一緒に加熱すると、融けたロウは油と溶け合ってしまう。つまりロウソクのロウは固体になっているあぶらの仲間だ。

「もっと、カチカチになったあぶらの仲間が、プラスチックだよ。だからプラスチックのお弁当箱に油もののおかずを入れると、なかなか油汚れが落ちない。似たもの同士でくっつきあいやすいんだね。ガラスや陶器に油もののおかずを入れたら、さっと油汚れが落ちるのと違うよね」

僕がそう言うと、学生たちは「ああ、なるほど」とうなずいてくれる。こうした話はこれまでも授業でしてきた。ロウソクはあぶらつながりで、プラスチックとも関係があるものなのだ。ロウソクについて、調べてみようと思う。

「ロウソクの科学」

セルロイドの発明とほぼ同じころにあたる一八六〇年の年末から翌年始にかけて、科学者ファラデーによる少年少女向けの講演会がロンドンで行われた。翌年『ロウソクの科学』という一冊の本にまとめられることになる講演だ。

岩波文庫『ロウソクの科学』(ファラデー 二〇一〇)を紐解いてみる。

> 原始的な松のたいまつからパラフィンロウソクまで、この道のりの何と長かったことでしょう、そしてこの二つには何と大きな違いがあることでしょう。夜になってどのような手段で自分の住み家を照明するかによって、文明の尺度の中でのその人たちの位置が測れます。(中略)祭壇上に輝く大きなワックスロウソク、私たちの街路を照らすさまざまなガス灯など、すべてが語るべき物語を持っています。

この本の編集者で科学者だったクルックスによる序文の冒頭には、そう書かれている。

一七九一年に鍛冶屋の家に生まれたファラデーは、製本業者の徒弟として修業中に科学に興味をもち、独学で勉強を始める。やがて王立研究所の科学者デイヴィーにその能力を認められ、彼のもとで研鑽を積み、自らも王立研究所の所長に就任するまでに至る。ファラデーの業績としては、なんといっても電磁気に関する研究が有名だが、そうした研究活動とともに、一般向けの講演などにも力を入れた。ロウソクを素材とした連続講演も、そうした彼の「理科教育への関心」の表れだった(竹内 二〇一〇)。

この『ロウソクの科学』に記録されている連続講演の初回、ファラデーは聴衆の少年少女に対して、いろいろな種類のロウソクの原料や、それらからつくられたロウソクの実例を提示している。

獣脂ロウソク
ステアリンロウソク
鯨油ロウソク
蜜蠟《みつろう》ロウソク
パラフィンロウソク
はるか遠くの異国、日本からもたらされた(ロウソクの原料となる)ワックスこれらのロウソクだ。現在のロウソクは石油を原料としているけれど、『ロウソクの科学』が出版された一九世紀中ごろ、ロウソクは多様な原料からつくられていたのだ。このうち、最も安価なロウソクが、牛や羊などの脂肪を原料としてつくられた獣脂ロウソクだった。これは安価ではあるものの、べたべたするうえに火をつけると煙を出し、また継続して点灯させるためには、時折特殊なハサミで芯を切る必要もあった（イリーン　一九六三）。この時代に書かれた、マーク・トウェインの『ハックルベリー・フィンの冒険』や、ローラ・インガルス・ワイルダーの『農場の少年』、はたまたドストエフスキーの『罪と罰』には、この獣脂ロウソクが登場する。

一方、ミツバチの巣を構成するロウである蜜蝋を融かしてつくったロウソクは、より高価なもので、一般家庭において、日常に使うことはままならないものであった。

ファラデーの活躍する時代になって、獣脂（脂肪）からステアリン酸だけを取り出して固める技術が開発され、つくられるようになったのがステアリンロウソクだ。これは獣脂ロウソクのようにべたべたせず、今のロウソクのような質感をもったものだった。

パラフィンロウソクは、石油成分を含むオイルシェールからパラフィンを抽出してつくられたもので、やはり一九世紀中ごろになって、その技術が開発された。『ロウソクの科学』の序文で、最先端の灯りとして名があげられているのが、このパラフィンロウソクである。今、僕たちが手にすることがあるのも、このパラフィンロウソクだ。

「はるか遠くの異国、日本からもたらされたワックス」というのは、日本で伝統的にロウソクの原料とされてきたハゼの実から採り出されたロウのこと。開港を迫って浦賀にペリーが来航したのは、『ロウソクの科学』の講演が行われる七年前の一八五三年のことだ。

鯨油ロウソクは、その名のとおりクジラのあぶら、とくにマッコウクジラのあぶらを原料としたロウソクで、一九世紀中ごろまではあぶらの採取を目的とした捕鯨が、アメリカを中心にして盛んに行われていた。

ここまで調べて、「これは……」と思う。ユリムンにまつわって、クジラの骨を拾い上げ、あぶらの多いクジラの話を聞き取った。そのユリムンからプラスチックへと話がつながり、そのプラスチックから石油、石油からロウソク、そしてロウソクからまたクジラへと話がつながったではないか。

ハゼのロウソクづくり

ゼミの時間。子どもたちの自然教室の題材を学生たちと考える。僕が関わっているフリースクールの珊瑚舎スコーレは、沖縄本島南部に、山林を伐開して「ガンマリ（いたずらの意味）」と呼ばれる活動拠点をつくっている。自炊のためのかまど、陶芸窯、木造のコテージなどを整備する作業を継続して行っているのだ。そのガンマリを利用して、スコーレ以外の子どもたちを対象とした自然教室がときどき開催されている。僕たちのゼミも、その活動の一端を請け負っている。

「今、ロウソクに凝っているから、ロウソクをテーマとしたワークショップができないかなと思っているんだけど」

学生たちに、そんな話を振ってみる。

「ロウソクの原料は、もともとミツバチの巣みたいな自然物だよという話は、授業でしたよね」

そう言うと、学生たちはうなずく。

「クジラのあぶらがロウソクの原料に盛んに使われていた時代もあってね。これはマッコウクジラのおでこの中に入っている脳油と呼ばれるものが、上等だったわけ。一九世紀半ばごろにかけて、アメリカはマッコウクジラの捕鯨がものすごく盛んで、各地の海でクジラを捕りつくして、日本近海まで漁場を広げて、それでペリーが日本に開港を迫ったという歴史もあるよね。だから、クジラのあぶらのロウソクってどんなかな、見てみたいなと思ってね。でも、今、マッコウクジラは捕鯨禁止でしょう。見ることはできないなあと思ってたら、ネットで、マッコウクジラの脳油が売られていたんだ。クジラから採ったものじゃなくて、脳油の成分を合成したものなんだけど」

インターネットの検索で、油脂会社の通販に「スパームアセチ」という商品名で、脳油成分が売られているのを見つけたのだ。ミリスチン酸セチルを主成分とするロウと説明されている。

「それが業務用で、二〇キロ単位。二万円したんだけど、注文しちゃった」

「ええっ?」

「だって、合成ものでも実物、みたいじゃない」

学生たちは半ばあきれ顔である。

「ただ、まだそれが届いてないから、今日はまた別のロウからロウソクをつくろうと思う」

そう言って、ハゼの実の詰まったビニール袋を取り出した。

「日本では伝統的に、このハゼの実からロウを採り出してロウソクをつくったんだよ。調べてみたら、琉球王府もハゼのロウソクを灯りにしていたって」

「へえーっ」

「ハゼって、沖縄にもあるの?」

ハゼは那覇市内の公園にも普通に生えているような木だけれど、学生たちは名前も知らなければ、その存在に気づいたこともない。ちなみにお年寄りに昔の話を聞くと、ハゼはハジャーギなどと呼ばれ、うっかり薪採りのときに手を出すと、かぶれてえらい目になるから注意したなどと、その存在はよく知られている。

「この前、名護岳に行ったら、駐車場のわきにたくさん実が落ちていたんだ。台風で落とされたんだね。僕もハゼからロウを採り出したことなかったんだけど、これを見て、やってみようと思ってね。でも、ハゼは木の汁が皮膚につくとかぶれたりしちゃう。だからみんな、手袋をして作業しようね」

手袋を配り、房状になっているハゼの実をばらす。伝統的なやり方では、蒸した実を強い力で圧搾してロウを搾り取るのだけれど、理科室には圧搾機がない。そこで、バラバラにした実を、乳鉢を使ってすりつぶす。これを容器に入れて、蒸す代わりにラップをかけて電子レンジでチン。そこに、有機溶媒のアセトンを投入して、ロウ分を抽出する。アセトンは気化しやすいので、ここからは戸外での作業だ。ロウ分を溶け出しやすくするために、つぶした実とアセトンを入れた鍋を、お湯をはった洗面器に入れて温めてやる。ほどよいところで、鍋の中身をガーゼで漉《こ》し、漉した液をさらに温めて不要なアセトンを気化させる。

「ロウソク一本つくるのも、大変だね」

そんな声。

「一本？　とんでもない。もっとずっと少ない量しかできないよ」

ようやく、鍋の底にうっすらとロウが固まる。コーヒー牛乳色をしたロウだ。鍋を温め、ロウを融かし、アルミカップに芯を入れ、融かしたロウを流し込めば、木蠟《もくろう》のロウソクのできあがりだ。この日のゼミは、これで時間いっぱいである。

あぶらの授業

理科室に白いフレーク状になった、箱入りのスパームアセチ（脳油）が届く。最初はこれにいろいろな色の土を混ぜて融かして固め、クレヨンをつくるというワークショップを考えたのだけど、試した結果、もっとシンプルに、竹筒の中に溶かした脳油を流し込んでマイ・ロウソクをつくるという作業を中心にすることに決まった。

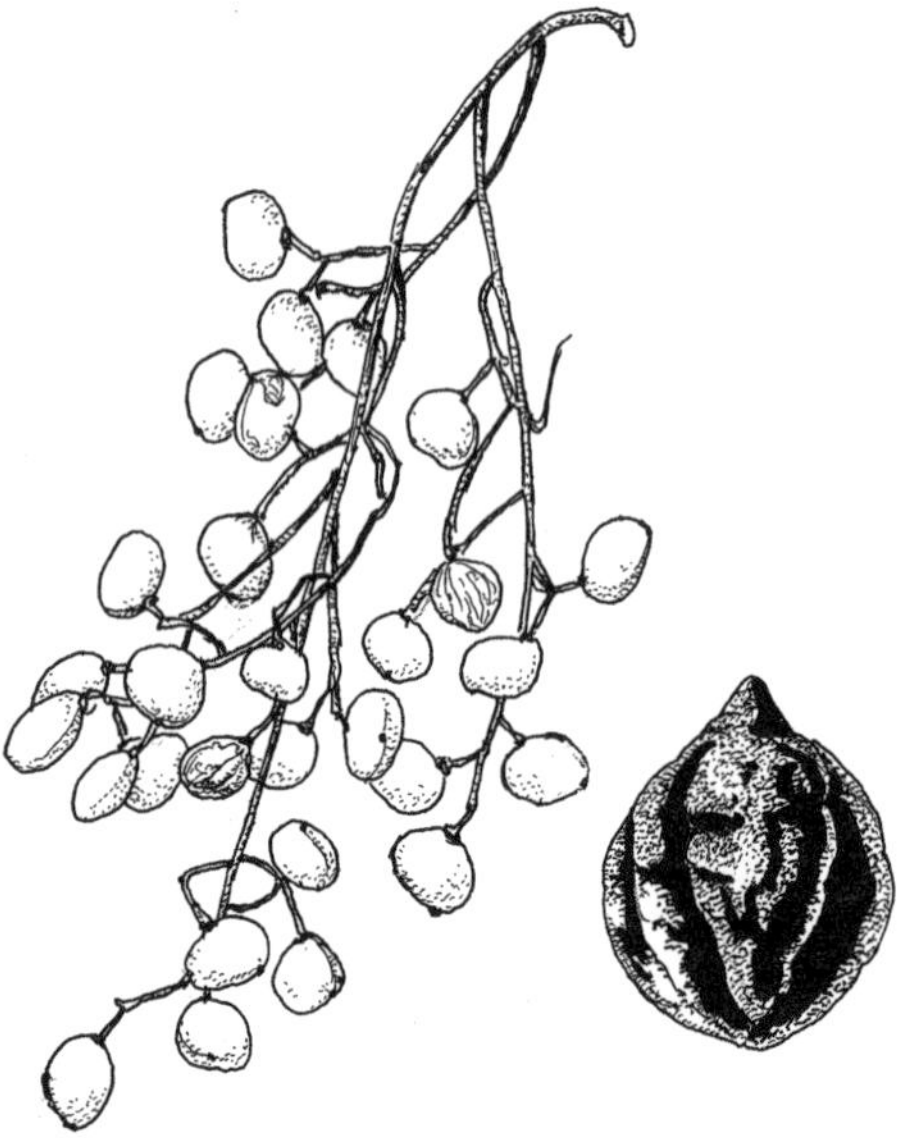

ハゼの実（左）とククイノキの実（右）

「でも、その作業の前に、子どもたちにロウソクとはどんなものかっていう話をしないといけないよね」

「ハゼのロウソクつくっているところの写真みせようか。写真、撮っていたかな」

学生たちが話し合っている。蜜蠟の塊を取り出し、削ったものを融かして、これでもロウソクをつくってみる。

「ロウの採れるハチの巣をつくるのは、ミツバチだけ？」

「そうだよ。だから蜜蠟はなかなか大量に集めるのが大変。それで高級だったから、昔は獣脂からロウソクつくったんだよ」

「獣脂？」

「ほら、焼き肉焼くときに、牛の脂の塊を鉄板にすりつけるでしょ。あの脂を融かして固めたロウソクなんだ」

「ああ」

「でも、べたべただし、煙も多いロウソクなんだって。ネズミが齧《かじ》ることもあるって何かに書かれてたね」

「植物の実でロウソクができるのはハゼだけ?」

「ほかにもあるけど、マイナーかな」

ただし……と言って、ククイノキの実も取り出した。東南アジア原産のトウダイグサ科の木の実で、外見は黒っぽいクルミのようだ。硬い殻を割ると、中に白い仁が入っている。この仁は油分が多いため、ハワイではこの仁を串にさして火をつけ、ロウソク代わりにしたという。そのため、ククイノキにはキャンドル・ナットという別名もある。沖縄では那覇市内の公園などにも植えられているので、手軽に手にすることができる実だ。さっそく、シンタが殻を割って、竹串にさして燃やし始めた。煤を出しながらだけれど、確かによく燃える。

「ククイノキの実には、油が入っているけど、これは液体の油だから採り出してもロウソクはつくれない。だからこうして、実の中のかけらごと火をつけるわけ」

ここで、鉱物油と油脂、油と脂について説明をした。鉱物油というのは、いわゆる石油のことだ。一方、動植物のつくるあぶらのことを油脂という。このうち、常温で液体なのが油、固体なのが脂だ。

「油脂ってのは、ふつう、わたしらがいうあぶらの中では特別なものなのだ」

父は本の中で、そんな説明をしている(盛口襄 二〇〇三)。ただし、最初にこの説明を読んだときは、意味がよく理解できなかった。油脂というのは、サラダ油やバターや、それこそ日常的に手に取っているものだ。それを「特別」と言われても……と。専門的な話になりすぎないように、ごく簡単に説明をすると、あぶらの基本は炭素と水素が結合した炭化水素の塊だ。純粋に炭化水素の塊になっているものが、鉱物油である石油だ。ガソリンも灯油も、はたまたプロパンガスも、みんな炭化水素からなっている。そして炭化水素は非常に安定しているので、火はつくけれど、他の化学変化はなかなか起こさない。だから地中で、変化もせず、石油の状態で何十万年もそのまま眠っているわけだ。そして、そんな性質だからこそ、石油を無理やり反応させてつくり上げたプラスチックも、反応しにくく、ひいては分解もされにくいという性質を持ち合わせてしまう。

一方、油脂は、炭化水素を基本としているものの、パーツごとに分解可能、組み立て可能なようになっている。だからこそ、体の中に取り入れたときに消化されたり、分解して別のものに組み立てなおしたりすることもできるようになっている。この分解可能性があるという特徴を、「特別なあぶら」と父は表現したのだ。油脂は反応しやすいあぶらなので、空気に長いこと触れているだけで酸化するし、アルカリと混ぜて加熱すると、アルカリの金属と反応して姿を変える。それが石鹸《せっけん》だ。

「石鹸もあぶらの仲間なんだ!」

「そうだよ。だから石鹸からもロウソクがつくれるよ」

『ロウソクの科学』の中で紹介されているステアリンロウソクのつくり方というのは、獣脂を一度、石鹸に変えて、その石鹸からロウソクをつくるというものなのだ。

「でも石油は反応しにくいモノだから、アルカリと混ぜても石鹸に変身しない。その石油をもっと無理やり反応させてつくったのが、合成洗剤だよ」

「合成洗剤って何？」

学生が聞き返すので、今度はこっちが「えっ？」となる。合成洗剤という言葉を耳にしたことがないのか。

「洗濯機に入れる粉状のものや、食器を洗うときに使う液体の洗剤があるでしょ」

「ああ、「アタック」とか」

「油脂には、さっき言ったように常温で固体の脂と、液体の油がある。これはそれぞれの分子の形状のせいなんだ。分子が互いにからまりやすいと固体になるし、からまりにくくなっていると、サラサラの油になるし。でも、脂と油は仲間同士だからよく混ざる。ほら、天ぷら油を捨てるときに、固める何とかというのを入れるでしょう。あれは常温で固体の脂を、油の中に混ぜてやるというわけ。すると油が脂と混ざったおかげで、プルプルの塊になる……」

「ああ、なるほど！」

「じゃあ、あの食べるとお尻から油が出てくるバラムツっていう魚のあぶらって？」

ショウヤが聞いてくる。

バラムツのあぶらというのは、ワックスなんだと説明する。ワックスと油脂は似たもの同士だけれど、構造が違う（『ロウソクの科学』では木蠟もワックスと表記されているが、木蠟は、実際には油脂）。そして人間はワックスを消化できない。ムイピートゥの話を聞いたときはまだよく理解できていなかったのだけれど、アカボウクジラも、そしてマッコウクジラも、体内に、この人間の消化できないワックスを大量にもっているということなのだ。

「人間でいうと、マッコウクジラは、体のどこにあぶらが入っているの？」

今度はアイカが、そう聞いてくる。そこで、人間の横顔を紙に描き、人間の頭部のどこがどう変化したらクジラになるかを描くと、その絵を見て、学生たちは大笑いをしている。

「この脳油を固化させたり、液化させることで比重を変えて、それを利用して浮き沈みをしているんじゃないかと考えられているんだよ。固化させるときには、鼻から冷たい海水を入れて、温めるときは血液で……」

「クジラの体温って、どれくらいなの？」

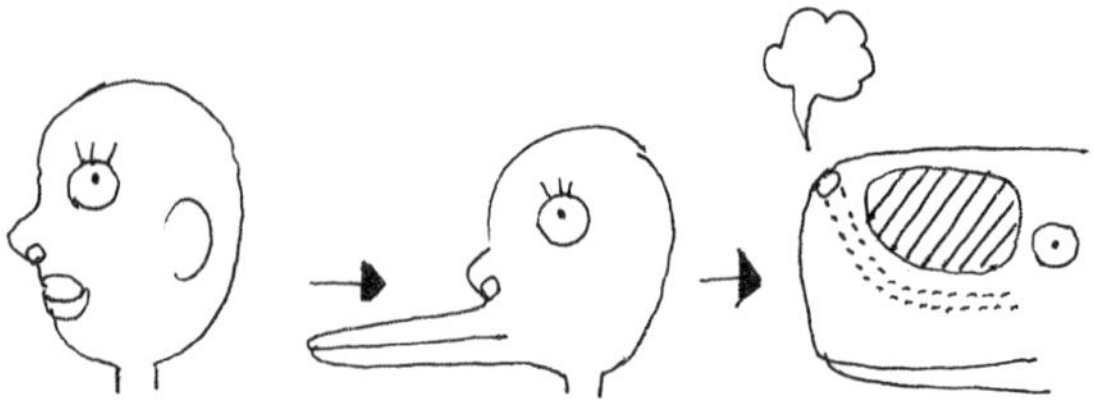

クジラの脳油はどこにある？

「人間とさほど変わらないんじゃないかな」

「それが冷たい海の中にいても大丈夫なの？」

「だから断熱用に、体の皮膚も厚くて、そこにもあぶらをたくさんしこんでいる。だから、鯨油は、クジラの皮からも採ったんだ」

「そのあぶらを採るのにペリーが来たんだね」と、ショウヤ。

「あぶら、おもしろい!」。そう、アイカが叫ぶ。

クジラからロウソクをつくる

ワークショップ当日。

三々五々、親子連れが会場となった珊瑚舎スコーレのガンマリに集まってくる。そのなかに、自由の森学園で僕のクラスの生徒だったミユキと、彼女の二人の子どもたちの姿もある。ミユキは高校生のころからクジラに特別の興味をもっていて、学校にクジラの専門家を招いて講演会を開いたりしていた。現在はシェフをしている旦那さんと一緒に店を切り盛りしている日々だが、今もなお、機会があればクジラを含めた自然との関わりを楽しんでいる。

先日もミユキは、沖縄本島北部で、地元の博物館が骨格標本にするために砂浜に埋めたザトウクジラを掘り出す作業があるよ……、なんていう情報を僕に回してくれた。さっそく現地に行って飛び入り参加をさせてもらう。以前、ミノルからクジラの骨取りをしたときの話を聞いたことはあるけれど、自分でクジラの骨取りに参加するのは初めてだ。重機で砂を掘っていき、最後は人力(シャベル)で砂をどけていくわけだが、埋めて一年たっても、まだ肉やあぶらが腐りきらずに一部残っていることにびっくりした。クジラに含まれるあぶらというのが、どれくらいたくさんの量なのかを実感した次第だ（ザトウクジラの場合は、ワックスではなくて油脂なのだが）。ついでに、腐敗したクジラのあぶらが出すすさまじいニオイも初体験だった。ミユキには、今回のワークショップでクジラの脳油からロウソクをつくるという話を内緒にしているので、反応が楽しみだ。

授業者のアイカが、集まった子どもたちに、「電気のないころ、何を灯りにしていたのかな？」と問いかける。「ホタルを集めた」なんて、可愛らしい答えも返ってくるのだけれど、「ロウソク」という答えを引き取って、「ロウソクは何からつくっていたのかな？」と話を進めていった。

「えーっ、すごいニオイじゃないの」

案の定、子どもたちの後ろで参観していたミユキが、僕にこっそり耳打ちしてくる。

大丈夫。クジラのあぶらとはいっても成分を合成したものだし、第一、腐っていないし。

子どもたちは、クジラからロウソクをつくると聞いて、テンションがあがったよう。

「今日はクジラロウソク！」

口々にそんな声をあげながら、竹筒を切り出し、融かしたロウに好きな色を加えて流し込み、マイ・ロウソクづくりを手がけていった。

プラスチックの授業

ワークショップが無事終わって、翌週のゼミの日。

なぜ僕がロウソクに興味をもったのかという話をすることになった。

「きっかけは、海洋ごみのシンポジウムに参加したことだったんだ。そこで、海洋ごみについて小学生に授業をした話を聞いてね。プラスチックって、どんなイメージかっていうのを聞いた結果という話だったんだけど。みんなは、プラスチックといったら、どんなイメージ？」

「燃やすと臭い」「硬いけど軟らかい」「便利」「軽い」「加工しやすい」

「そうだね。それで、小学生の場合、壊れやすいという答えが結構あったんだって。でも、どう？　プラスチックって、最終的に分解されにくいっていう性質があるでしょう。海洋プラスチックごみがどこから流れてくるか、川の中でネットを張って調べた人の話もシンポジウムで聞いたんだけど、人工芝のかけらとかが、流れてくるんだって」

「あー、あれもプラスチックか」

「確かに壊れやすい。でも分解されにくい。こういう特徴が、ちゃんと子どもたちに教えられていないって言われてね。でも、いきなりプラスチックって言われても、なんだか難しい。だから、プラスチックの前に使われていたものを考えてみようと思ったんだ。それでロウソクに興味をもったんだよ」

学生たちに、プラスチックって、いつからあると思うか聞いてみた。

「明治時代？」「大正？」

「日本でいうと、そういうイメージがあるかもしれないね。世界でいうと、一九世紀の中ごろ。

そのころに最初のプラスチックがつくられたんだ。プラスチックは加工しやすいし、やがていろんなものがプラスチックに置き換わっていったんだけど、逆にいえば、今、プラスチックになっているものも、もともとはそうじゃないものからできていたってことだよね。じゃあ、最初につくられたプラスチックって、何の代用になったものだと思う?」

「身近なもの?」

「身近かどうかはともかく、みんなが知ってはいると思うよ」

「宝石とか?」

「そのころに、ビリヤードがブームになったんだそうだよ。ビリヤードの球って、あるモノからつくられていたんだけど、ブームで入手困難になって、それで代用品が開発されたんだ。じゃあビリヤードの球って、もともとは何からつくられていたんだと思う?」

「木」「鉄」「石」「金属」

「磁石」なんてサクラが言うので、笑ってしまう。磁石でできていたら、球同士が勝手にくっついたり、反発しあったりしてしまうではないか。

「象牙だよ」

「ああ、そうか」

「えっ? 「ああ、そうか」って思うの? 俺、なんで象牙って思うけど」とシンシ。

象牙は適度な硬さと、ぶつかったときの反発力があり、かつ加工しやすかったのだ。ただし、一本の象牙からつくられる球の数はごく限られていた。そのため需要に応じきれなくなったのだけれど。

「そうして、最初につくられたプラスチックがセルロイドだよ」

ところが、セルロイドという名称を聞いた学生がきょとんとしている。聞き直してみると、聞いたことがないという。なるほど、それはそうかもしれない。

「木の繊維はセルロースっていうでしょう。これは丈夫。ただし、加工がしにくい。このセルロースを硝酸に溶かすと、形が自由に加工できるようになる。硝酸に溶かしたセルロースに樟脳《しょうのう》という、虫よけに使われた物質を混ぜて固めたものがセルロイドだ。ビリヤードの球だけでなくて、眼鏡のフレームとか下敷きとか、いろんなものがつくられたんだよ。写真のフィルムというのがあったでしょう。これもセルロイドでつくられた。それまではね、写真は乾板といって、一枚一枚、ガラス板に感光材とかを塗ったもので撮っていたの。だからものすごくかさばった。これをセルロイドのフィルムにしたら、軽いだけでなくて曲げられるから、フィルムをつなげてロールにすることができるようになった。これで映画も撮れるようになったわけ」

「あー、なるほど」

ただし、セルロイドには弱点があった。

セルロースを硝酸に溶かすとニトロセルロースになる。

「なんか爆弾みたいな名前だ」とシンタ。

「そう、ものすごく燃えやすい物質なんだ。だから映画フィルムが発火するなんていう事故も結構あったらしい。『ニュー・シネマ・パラダイス』っていう、とてもいい映画(一九八八年公開のイタリア映画)があるんだけど、作中、このフィルムが発火するという場面があるから、よかったら見てみてね。それで、セルロイド、だんだん使われなくなって、今は限られたものにしか使っていないんだ」

「日用品?」

「うーん、もってる人はもってるけど、もってない人もいるなあ」

「老眼鏡?」

「それって、半透明?」

「ああ、そんな感じ。べっこうみたいな感じだよ」

「べっこうって、何?」

学生は、べっこうも知らなかった。カメの甲羅でつくったものでね……と説明をする。ちょうど、アイカがべっこうでつくったような色合いのイヤリングをしていた。

「じゃあ、クシとかが、セルロイド製なのかな」

「ああ、昔はクシもセルロイド製あったかもね」

しばらくやりとりをしたあとで、まずプラスチック製の密閉容器から取り出したのは、ガラガラヘビのしっぽの先だ。有名な毒ヘビであるガラガラヘビのしっぽの先には、皮膚の脱皮殻が変化した「ガラガラ」がついている。これを鳴らして威嚇するのだけれど、このガラガラ、かなりしっかりしていて、まるでプラスチック製品のよう。

「天然物にもこうしたものがあって、プラスチックがない時代は、昔の人は天然物を、その特性によって、いろいろ利用していたわけだよ。プラスチックがない時代は、タイマイという種類のカメの甲羅を張り合わせたものが、べっこうといって、半透明で独特の質感をもつ素材として重宝されたわけだ。ゴムなんていうのもそうだね。南アメリカの先住民が、ゴムノキから採った樹液を鞠《まり》にしているのを欧米人が見て、やがて、そのゴムからタイヤとかいろいろなものをつくり出すようになった。ゴムは天然樹脂だけど、プラスチックは合成樹脂と呼ばれるよね」

試しに、校門のそばに植えてあるインドゴムノキの樹皮に傷をつけて樹液を集め乾かしたら、十分に弾力のあるゴムの塊が採れて、自分でもびっくりした。そのゴムの塊を学生に回す。

天然物が使われていた時代、灯りに使われていたのがロウソクだ。そのロウソクも、石油が見つかって、石油にとって代わられた。最初のプラスチックといわれるセルロイドも、やがて新たに石油からつくられるようになったプラスチックにとって代わられた。そして、「今もかろうじて使われているセルロイドがこれだよ」と言って、ギターを演奏するときに使うピックを取り出すと、みんな一斉に

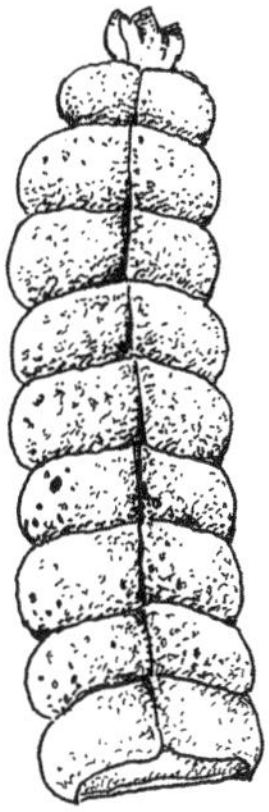

ガラガラヘビの「ガラガラ」

「あーっ」と声をあげた。

「俺、もってるし」と、ヨッシーは言う。

セルロイドの弱点は燃えやすいこと。それを試してみることにする。ピックをるつぼバサミではさんで、コンロの火にかざす。たちまちボワッと火がつき、燃え尽きてしまう。

「あー、すごい」

「やばい」

「これは、映画館燃えちゃうよ」

リクエストに応えて、もう一枚を火にかざす。今度はアイカたちがスマホをかざして動画を撮りだした。

さらに、火薬や空中窒素の固定にも話は進む。

プラスチックの目に見えない問題

父はプラスチックについて扱った児童書も書いている(盛口襄 一九九四)。プラスチックの問題は難分解性だけれど、父はもう一つ、「目に見えない」問題もあると本の中に書いている。

プラスチックは一見金属風とか、一見木材風とか、一見、毛皮風とかいったイミテーションをつくるのが得意なんだ。(中略)イミテーションはイミテーションさ。本物じゃない。イミテーションばかりつかっていると、いつのまにか本物の味がわからなくなる。(中略)人間の文明は(中略)材料が築いたものだ。石器文明、青銅器文明、鉄器文明っていうふうに、文明は材料の名前でよばれ、それぞれ独得の文化をつくってきた。つまりね、人間は材料が与えられると、それをどうつかうかとあれこれ工夫する。頭をつかう。技術も生む。その中から文化が生まれるのさ。それがイミテーションのにせものではね。ハナっから文化を生む土台がうしなわれるのさ。モノにおしえられるということがあるが、木や金属や粘土や、そういうものをつかう中で、自然に人間らしい知恵が生まれる。(中略)子供は知らず知らず、モノをとおして人間の歴史を復習するようにできているのに、〝便利〟の名においてそれがとりあげられてしまった。それがプラスチックの見えざる大罪さ。

だから、と父は続けている。一人ひとりがそのことを自覚することが大事だと。偽物に気づき、見かけにごまかされない。そのために、できるだけ本物にふれて目を肥やす必要があると。手間暇をかけて、自分の目を鍛えること。学ぶのは、時間のかかる、そして終わりのないことなのだ。

6　モノと物語からの学び——教わる側がリアルでこそ

考える、教える、暮らす

一〇年と少し前……。父がまだ生きていたころの僕の日記のようなものを引っ張り出す。ところどころに、父とのやりとりが書き残されている。末期の大腸がんが見つかり、余命半年の宣告を受けた父は、人工肛門をつけた体で、半年を超えてもなお、しかも一見それまでどおりと見えるほど、元気に日々を過ごしていた。しかし、「いつか」は必ず来る。父が宣告を受けるまでは、半年に一度、帰省するのがせいぜいだった僕は、それから毎月一度は父の様子を見に、実家に帰省するようになっていた。

父はタフだ。がんを宣告され、人工肛門をつけた体で、自給用の畑を耕す。三〇分もクワを握っていると、健康体であるはずの、こちらのほうがへばってしまう。

畑を終えて、父と少しだけ話す。

「理科はね。考える、教える、暮らすの三つがあるんだよ。今は、そのうちの教えるが、過剰に肥大化しているね」

ああ、理科には「暮らす」ということも含まれているのだ、とあらためて思った。暮らすとは生きること。生きるとは？

その日、頼まれた買い物を手に、館山の駅に着いたのは、夜の七時過ぎだった。家に着くと、父が天ぷらを揚げていた。父が現役の教員をしていたときも、正月の料理はすべて父がつくるのが我が家の恒例だったけれど、父ががんであることがわかり、教員生活からすっかり足を洗ってからは、父が正月だけでなく毎日の食事もつくるようになった。「だって、時間に余裕ができたでしょ」と母はすまして、そう言う(母は母でかなり個性の強い人物なのだ)。父は、僕が帰省するときの夕飯は、天ぷらと決めていた。節約家の父なので、フライパンにごく少しの油を入れて、それで天ぷらを揚げるというのが流儀だ。ちなみに、衣もごく薄い。夏だと、エアコンのない実家のこと、父はランニングシャツとステテコ姿で天ぷらを揚げる。父は普段から、格好にはまるで頓着しない人だ。理科教員仲間からも「ジョー先生はズボンのベルトの代わりに「スズランテープ」(薄くて幅の広い合成繊維製のカラフルなテープ)を巻いているような人だから」と、その無頓着ぶりはつとに定評があった。家の中だと、さらに拍車がかかる。今回は冬でもあり、さすがに下着姿ではなかったが。

天ぷらをつまみに、少しばかりのビールを酌み交わしながら、父と話す。

困ったことに、化学の話をし始めると、父の興味の最先端部分は、僕には難しくて理解ができない。これはちょっと悲しい。僕にもう少し化学の素養があれば、父が言い遺したいことを、きちんと受け止められるのに。それでもわかる範囲で、自分なりに受け止めようと思う。

「鉄はおもしろい」

例えば、そんな一言が漏れる。モノの化学。父のポリシーと関わる一言だ。

ひとしきり、専門の話がすんだとき、ふと、父が言った。

「学力って言葉、気にならない?」と。

前に、「学力という言葉は塾の商品だ」と、父が言っていたことがなかったっけ。

「うん、そういうのもあるけど、もっと根本的にね。「力」ってついているでしょう。人をやっつけるのが、力だと思うんだ。学力という言葉にはね、私が楽しめてウレシイということがない」

ああ、なるほどと思った。大学の中でも、学力という言葉をよく耳にする。自由の森学園の教師時代、学力という言葉に、僕自身、どこかで違和感をもっていたはずなのに、最近は、自分でもつい、口にするようになっている。学力は、もともと「人をやっつける」ためのものなのか。

僕は、生き物嫌い、理科嫌いの学生にかけられた「魔法」を解きたいと思っていた。でも、「学力をつけましょう」ということの言葉もまた、一つの呪文であるわけだ。

「化学とはなんだ?」という話を父がし始めた。

「化学は人間の歴史を学ぶ学問だと思うんだ。となるとね、人間は手が自由になったとき、石を運んで石器をつくった。これが原点だと思うわけ。石というモノを選んだのが人間だったと。

だから化学というのは、モノと人間の関わりを学ぶ学問だと思う。決して、原子・分子を学ぶ学問じゃないんだよ。それに化学の教科書に原子・分子の絵があるでしょう。あれ、うそっぱちだよね。だって、原子は見えるものじゃないから。原子というのは哲学なの。見えないもので考えましょうという、その哲学が抜けちゃってるの。この前、女子校の先生をしていたときのクラブの教え子に会ってね、もうおばちゃんなんだけど、そうしたら、化学クラブをやっていたおかげで、モノを見る目が二つになったと言うんだ。やっていなかったら一つ目だったと。僕らのやっていたものは、ささやかな研究だったけど、こんなふうに言われると、やっていてよかったなと思うよ。前にも言ったけど、教員は教えちゃダメ。共に学ぶというのが大事なの」

父は長らく地元・館山で女子高の教員をしていた。「かわいいお嫁さんになるんだから、原子・分子なんて関係ない」という生徒の声に対して、どう答えを返したらいいのかと四苦八苦したことが、父の化学教育の基礎になっている。一方で、父は進学校ではない女子高で、化学クラブを立ち上げ、研究発表はさまざまな賞を受賞するまでに至った。そのときの教え子に再会したというわけだ。化学クラブで学んだ技術や知識は、彼女の生活と直接関係はないのだけれど、そこで培った思考というものが、日常の思考と合わさり、複線的にモノを見る力となっている、と彼女は言う。直接的なメリットではない、しかし確かな学び。

父の話を聞いて、思うことがあった。

「教える側ではなくて、教わる側がリアルなことが大事だってことだよね。教わる側が、何かを学んだと思うときに、初めて教える側の存在意義ができるってこと？」

「そうそう。だから、かさにかかって教えてもダメなんだ」

父がうなずいてくれた。

僕が、生徒や学生たちと共に学べたという経験はどのくらいあるだろう。そのことを思い返す。

アルケミストとしての父

父の書いた本を読み返してみる。児童向けに書かれた『ダイヤモンドはつくれるか？——物質世界の探検』（盛口襄 一九九二）という本だ。理科の先生だった「おじさん」と、主人公の「ぼく」が、対話をしながらさまざまな化学の実験を体験し、学んでいく内容となっている。この本の第一章は「台所は実験室」と題されている。二人の実験をする場所が「おじさん」の家の台所なのだ。そして、本の中で「やめてくださいよ、台所で実験なんかするのは」と苦言を呈する「おばさん」は、まんま、僕の母だ。

この本の中には、化学クラブで父が実際に取り組んだ、人工ダイヤモンドづくりの実験についても紹介がなされている。大学の研究者の研究をもとにして、担当していた高校の化学クラブで「簡易型」の人工ダイヤ実験装置の開発をしたときの話だ。「本場」である大学では高価な実験装置が使われていたわけだけれど、「おじさん」こと父は、それらを「みんな代用品でまにあわせ」「まるで石のお城を紙とベニヤでつくったような」装置に置き換えて、見事、人工ダイヤの合成に成功する（成功に至るまでは、「語るも涙」の試練だったそうだけど）。この本の、台所が実験室という設定は、まさに、ありあわせの設備や道具だって、立派に理科を学ぶことができるということを言いたいためだからだ。あとがきには、この点について、次のように書かれている。

もし本気で勉強する気なら、できるだけ素朴なもので、なまの材料から学ぶのがいちばんだ。そこで、あえて台所を実験室にえらんだのだ。もっとも、台所は食べ物をつくるところだから、できたら食べ物以外の実験は、やはり庭か、えん側でやりたいところだが、りっぱな理科室でなくたって、それと同じ、いやそれ以上のことができる、と言いたいのだ。

実際、実家に戻った際に見渡してみれば、縁側はおろか、畑の脇にも、ビーカーやフラスコが散乱している。父にとっては、どこもが実験室なのだ。そして、そんな父と意を共にする仲間がいた。父が参加していた研究会について、書いた文書を読んでみる（アルケミストの会編　一九八二）。

私達の集まりを「アルケミストの会」といいます。アルケミストとは、古代から中世にかけてアラビヤやヨーロッパを舞台に活躍した、あの錬金術師のことです。彼らは、時には詐術をつかったり、魔法めかしたり、ミステリイな雰囲気をただよわせたりして、ことさらに正体をぼかしていましたが、本質的には市民の化学者でした。手あたり次第物質をいじくっているうちに、目的とする黄金や不老長寿の秘薬こそ生まれなかったけれど、硝酸をうみアルコールをみつけだし、実質的な意味で化学の土台を作りあげてしまいました。私達は、彼らの非正統性、泥くささ、日常性、そしてチョッピリ魔法めいた神秘性に魅かれます。私達も、化学の教師としては非正統的でスッキリとした理論を展開するよりは、泥くさい物質いじりの方が好きなタイプです。化学の難問を鮮やかに解いてみせるよりは、化学の大きらいな生徒達と同じレベルにたって、どうしたら生徒達が目をかがやかす実験ができるだろうかと工夫する方が好きです。(中略)私達の間で、よく「これはアルケミスト的だ」とか「彼はアルケ度が高い」などといいます。既成の化学にとらわれない、物質そのものに即したユニークな見方をするとか、思いがけない面白い実験を発掘してくる……といったことです。

年末。父が、年に一度地元で開いていた、アルケミストの会とはまた別の理科教育の研究会、安房塾で、「最終講義」をすることになった。全国から駆けつけた、四十数名の理科教師を前に話す父のサポートをするために、この日に合わせて帰省する。

一週間かけて父が用意したのは、パワーポイントならぬ、模造紙の山。あれこれ書き込まれた模造紙をとっかえひっかえ、ホワイトボードに貼りつつ、講演が進む。人工ダイヤの話あり、人造ホタルの話あり、化学教師としての父の集大成の話である。その具体的な話の折々に、教師論が語られる。

「教師は田舎医者じゃないとダメ」

例えば、そんなことを言う。

父はがんである。がんになって、いろいろとわかったことがあるという。診察を受けるとき、最近の医者はパソコンとにらめっこして話すが、あれがどうもなあ……と父は言う。患者と向き合ってこそ、医者じゃないのか？　と。

「患者の様子をさぐりながら治していかないとダメじゃないかな。教師も一緒。教師は自分の正しいと思うことを教えちゃう。それはダメ。生徒と対面して、互いにわからないとこまで見つけていかないとダメじゃないかな」

それには、教師は生徒たちの枠（パラダイム）に気づく必要があるという。

「例えばね。土の授業をやるでしょう。高校、それも進学校だよ。それでも「土って、どんなもの？」って聞くと「キタナイ」っていう返事。ナゼって聞くと「ご飯食べる前に手を洗いなさいっていわれたから」って言うわけ。「じゃあ、土は何でできている？」と聞くと「バイキン」って言うの。笑っちゃうでしょう。でもこれが生徒のパラダイム」

そんな生徒のパラダイムに気づくなかで、教師自身も自分が自分のパラダイムに縛られていることに気づくことがある。教師も生徒も互いに自分のパラダイムに気づき、そのパラダイムを打ち破ることが教育だよ、と父は言った。

「それが明日をつくる力だよ。そんな発見をしていくとね、死ぬまでやることがいっぱいある。

だから幸せ」

父はたくさんのアイデアがあるけれど、自分はもうそれを追究する時間がないので、ぜひ、みなで追究を続けてほしい、といくつものアイデアを紹介していった。

「我々はね、ものを知りすぎているの。そこが生徒に比べると、ダメな点。だからうまくいかない。だいたい教師が偉く見えちゃダメ。ミジメに見えないとね」

そんなことも言った。今の科学は体制の側に入るため、エリートになるための道具になってしまっている、と父は言う。科学を学ぶことが、その個人のメリットと強く結びついている。しかし、科学というのは、そういうものなのか。教師はその原点から問い直すべきというのが、父の語った主張だった。

語り終えた父は、さすがに、やや疲れて見えた。研究会は夜を徹して続けると言うが、父は夕飯をみなと共にしたのち、退席した。

翌朝。いつものごとく、父が朝食をつくってくれた。

「なかなか売っていないんだよ。見つけて冷凍しておいたんだ」

父がそう言って、ゴンズイの味噌汁をつくってくれた。南房総の漁師料理だ。母はといえば、せっかく父のつくった味噌汁を一目見て「気持ち悪い」と言って、うけつけようとしない。僕のほうは、食べ終わった味噌汁からゴンズイの頭の骨を取り出し、ティッシュにくるんで持ち帰ることにする。季節は年末である。食卓には、ごまめ、きんとん、黒豆の皿まである。おせちづくりも、例年どおり、父が手がけている。さすがに、今年はおせちづくりまでは手がけないだろうと思っていたので、ちょっとびっくり。いや、最期のひとときまで、父はきっとそうなのだろう。父は化学者であり、教員であり、そしてなによりも生活者であるのだから。

残存する思い

その半年後の夏休み。ひと月ぶりに実家に帰ると、父がげっそりと痩せていた。好きだったビールも、ほとんどのどを通らなくなっていた。いよいよ、その時が来た。父はがんを宣告されたときに、一篇の詩を書いている（巻末の詩「窓」）。そこには、透明なまなざしで、自分の死への思いが書き記されていた。そのまなざしは、いよいよの時になっても、ほとんど変わっていなかった。

それからしばらくして、父の容態があまりよくないという連絡を受け、病院に向かう。まだ大学の夏休みであったので、しばらく病院に寝泊まりをして、父の介護をすることにした。

末期になった父は、しばらく前からモルヒネの投与を受けるようになった。八〇を超えてもなお明晰であった父の意識が混濁を始める。そのときの、僕の手帳には「昨晩三〇分〜一時間おきに起きる。ほとんど現状認識がない」と書かれている。

「買い物に行かなきゃ」

「昼飯は何もないけれど、あるものでいいか？」

正常な意識を失ったあと、父は突然こんなことを口にするようになった。父の意識の底に最後まで残っていたのは、日々の食事をつくることだった。

朝、今度は「なんとしても書かなきゃ」と言い出すので、ベッドをおこし、枕を背にしてレポート用紙を前に置く。そのレポート用紙を前に、困惑したような顔をする父。父は、時間があれば何かを書いている人だった。化学教育のアイデア、読んだ本の抜き書き、そして詩作。入院するまでは、一貫して朝の三時には起きだして、一人机に向かう日々を続けていた。

残存する思い。意識が混濁した末に、最後に残ること。父の様を見て、自分も最後は、かくありたいと思う。しばらくして、レポート用紙をのぞくと、何を書いてあるか判別できないほど、乱れた筆跡が残されている。同じレポート用紙の少し手前には、「化学のグランドデザイン」と題した、れっきとした文章が残されていた。

さらに、それから二週間がたった。一度、沖縄に戻ったのちに、僕は、再び父のもとを訪ねていた。

病院の朝。父は目をさますと、「炒り卵は抵抗がどうなっているんだ。考えたことがなかったけれど、卵を買ってこないと。電球だけのって見たことないんだなあ。そんなめんどくさいこと言ってないで、炒り卵だけつくればいいのか」と、きれぎれに言う。父が一生、追いかけていた化学実験と、料理に象徴される日々の暮らしが混ざり合っている。そして、父はおもむろに、枕元に置いてあった、生命の起源に関する専門書を取り上げる。地球の上で、どのように生命が誕生したか。モノが生き物に変化する不思議。それが晩年の父の大きな研究テーマだった。非常勤として勤めていた高校の化学クラブの生徒たちと、ごく簡単な方法でアミノ酸が人工合成できることを明らかにしたのは、がんを宣告されるすぐ前の話だ。

父は、生き物を、文字どおり生きている「モノ」ととらえていた。生き物は「不思議なモノ」だと。

モノの世界でこれほど不思議なモノはありません。誰も動かし手がいないのに、自分で動きます。別に考えているわけでもないのに、ちゃんと目的に合った行動をします。あなただけじゃありません。ミミズもクラゲもそうです。バクテリアも花もイネもちゃんと生きて行動しています。こんな変なモノは宇宙広しといえどもほかにありません。

父の死後、書斎に残された原稿の一つには、こんな文章がしたためられていた。日付を見ると、この文章は死の二か月前に記されたものだった。

「鍋が重い」

目をさました父が、唐突に言う。さらに、「気持ちが悪いから、したくさせてくれ」と。

どうも、料理のしたくをしないと、気持ちが収まらないと言っているらしい。今は病院だし、料理をつくる必要はないんだよ、とさとすように父に話しかける。

「わかってる。でも後生だからやらせてくれ。ダイコン、サトイモ、ニンジンを煮なくちゃいけない」

父がなおも口にする。我が家の正月料理は、雑煮も父がつくるのが習わしだった。それも、関東風と関西風が日替わりだ。京都生まれの父は、意識が混濁するなかで、ダイコン、サトイモ、ニンジンを煮て、白味噌で味つけをした関西風の雑煮をつくる算段をしていたらしい。

しばし、やりとりをしたあと、ようやく眠る。ただ、夜中は二〇分ごとに、起きようとする。トイレに行きたいと言ったときは介添えをしたが、起きあがりはするものの、意識が眠っているままで、声をかけても反応がないときもある。このまま別世界へと行ってしまうのかと思い、怖くなる。意思の疎通は難しくなってしまっているが、父の体はあたたかで、重い。これが命だ。

それからしばししして。

一度、沖縄に戻り、大学で授業をしていた僕のところへ、母から「危篤」の連絡が入る。大急ぎでチケットを手配し、祈るような気持ちで飛行機に乗る。羽田から東京駅に向かい、東京駅の中を走って、最終の特急電車に滑り込む。

病室に入ると、父の目は、もう開いたまま閉じようとはしなかった。酸素マスクの下、あらい呼吸だけが、父の生のありどころをかすかに示していた。

二時間後。父の息が徐々に静かになり、呼吸の間隔が少しずつ延びていく。しばらくたってから、ああ、あれが最後の呼吸であったと思う。

父は彼岸に旅立った。まだ手はあたたかい。

「心臓は動いているの？」と、不思議そうに母が問うた。

父の居所

葬儀の合間。実家の本棚で一冊の本が目にとまり、開いてみる。『館山市史』である。実家から車で一〇分ほどのところにある、市の文化財に指定されている、船越鉈切《ふなこしなたぎり》神社の独木舟《まるきぶね》についての解説が書かれている。

一六九五年、神主や名主たちの連名で水戸光圀の使者に差し出した書きつけに、「たびたび竜宮から舟が流れ着き、それが、二十数艘になっている」という内容が書かれてあるのだという。また、別の古文書には、「この舟は、琉球国にて、国王の代替わりにつくって海上に押し流し、海神に奉ったものであるという。竜宮より流れ着いたというのは、琉球よりという伝説を誤って伝えたものではないか」といった意味の内容が書かれていることも紹介されている。さらに「この舟は明治の頃までは、熱冷ましや歯痛の薬として重宝がられ、削り取ったともいわれ、舟にはノコギリや刃物のあとがある」といったことも書かれている。現在残っているただ一艘の舟は、クスノキ製で、二メートルあまりだ。

かつて、館山の人々は、どこからともなく流れ来る独木舟に、海の彼方の彼岸を見た。

アラスカをフィールドとして活躍した写真家の星野道夫さんは、『旅をする木』(星野 一九九五)という著作の中で、アラスカの海岸線に住まう人々が、夕暮れ時になると、ビーチコーミングと呼ばれる漂着物拾いに興じるという話を紹介している。

「彼らが捜しているのは、ただのがらくたではなく、遠い世界から流れ着いてくる不思議な漂流物である」

星野さんはそう書いている。漂着物に、はるか異世界の存在を垣間見るのは、僕らだけに限る話ではないのだ。

「驚かされるのは漂流物のほとんどは日本からのものなのだ。その中でも日本の漁師が使う丸い大きなガラスの浮きは貴重品であった。これまでどれだけ多くの人々がそのガラスの浮きを自慢気に見せてくれたことだろう」

さらに、流れ寄るものは、モノだけではなかった。江戸時代、難破した漂流船もまた、何度も北米沿岸に漂着している。なかには四八四日にわたる漂流ののち、カリフォルニアの沖合でイギリス船に発見、救助された督乗丸《とくじょうまる》のような例もある。

星野さんは、クリンギット族の伝承のなかに、「昔々、海のほうから人々が流されてきて、住み着いた」という話があることにも触れている。クリンギットの人々のなかには、自分たちの祖先には日本人の血が流れていると信じる人もいるのだという。

星野さんは、アラスカの海岸に流れ着く浮き玉から、黒潮と、その流れによって北米まで流れ着いたかもしれない人々の存在を思い浮かべる。

僕たちはどこから来て、どこへ行くのか。

父の死後、父の書棚を探り、遺された雑多な資料に目を走らせる。新聞の切り抜き。知人からの手紙。自身の出した手紙のコピー。化学の普及書の草稿。おびただしい詩作。

理科教育に関わる知人が父にあてた手紙がファイルに挟まれているのが目にとまった。その手紙には、父が「生涯を通じての自己実現こそが、すべての教育活動の旗印とすべき」と語ったことに共感すると書かれていた。

入院中の父が妹にあてて書いた手紙のコピーも出てくる。どうやら「あなたが死んだら、お墓はどうするの?」と心配する妹に、「墓なんていらない」ということを伝えるために書いた手紙のようだ。

生命は発生以来四〇億年をへています。そのうち、営々、虫も花も自分の同類を残し、地球を華やかにしてきました。四〇億年の生命は人もウシもイヌもカもキュウリもナスもカツオも同じ。といっても、カツオの骨はお墓にうずめず、ゴミ捨て場です。でも、キレイにもとにもどりますよ。人も焼いて灰にしてもらえれば後は空の光です。さっぱりしたものです。だから私の墓もいりません。「さみしくないの?」って? いいえ、そんなことはありません。ともに理科の仕事をしたたくさんの人、たくさんの生徒たちの心の中に、ちゃんと墓を建ててもらっていますから。

父は手紙の中で、「やりたくてやりたくてしょうがない」から「化学」と「詩作」を一生涯かけてやってきたし、それが自分の「自己実現」だったと書いている。入院中の今でも詩は書き続けているし、「死ぬまで日々、成長を続けるつもり」と。

最後まで、そのとおりの人生だった、とあらためて思う。

「かけら」との再会

同じ場にいたとしても、生徒と教師は別の風景を見ている。

自由の森学園で高校生のTとの最初の出会いは、理科の授業をしに入った教室の一番後ろで何人かの男子たちとかたまり、斜に構えている姿だったという印象が僕にはある。

Tのいた学年には、いわゆるヤンキーと呼ばれるような男子たちが一塊のグループをなしていた。Tはそのなかでも独特の存在感をもち、ヤンキーグループの男子たち全員から、一目おかれていた。そんなTと僕は仲が良かった。Tが生き物に興味をもっていたのがその理由だ。卒業後も、ときおり途絶えながらもTとは関係が続いた。そして、卒業後二〇年以上がたったある日、Tが居住する鹿児島の田舎町に僕を呼んでくれた。彼はその町の野外施設で働いており、その施設のイベントの講師に招いてくれたのだ。

久しぶりにTに会う。その日の夜、お酒を飲みつつ、初めてTの生い立ちを聞いた。

小学校一年生のときから喧嘩に明け暮れる日々だったのだという。それこそ「小学校一年生のときから命がけだった」というぐらい。

「無理やり服従させられることは許せないたちだった」

ぽつりぽつりと、Tが話をしてくれる。喧嘩は、相手との絆をつくるものとしてあったのだと。自分は対等な人間関係を結びたいといつでも思っている。しかし、そうした関係を考えていない人間と向き合うことがある。自分が相手を見下すことはなくても、相手が自分を見下すことがある。その関係を喧嘩が壊してくれた。喧嘩が終わると対等の関係が生まれる。相手が見下すことがなくなるわけだから……。つまりTは好んで喧嘩をするわけではなかったが、喧嘩は誰よりも強かった。ただ、戦いはいつ起こるかわからない。心が休まるときはなかったという。

「いつも戦いのイメージトレーニングをしている。イメージしていると、ある日、相手がやってくる」

話すのが苦手で、相手に自分の思いを伝える方法が、ほかに思い当たらなかったせいもある。

そんな彼が自由の森学園に入学しようと思ったのは、そのままでは先が見えていたからだという。なにせ、暴走族の頭になってくれと頼まれたこともあったそう。もし引き受けていたら死んでいたかもしれないという。そうした日常に終止符を打ち、新しく一から始めるために、それまでの生活空間とは離れた場所の学校に入学したのだと。ただ、そこでも彼のオーラのようなものは、ほかの男子たちに「感知」され、ヤンキーグループと関わらざるを得なくなるわけだが。ともあれ、それまでの人生を変えようとあがき始めたころのTと僕は出会うことになる。

「ゲッチョの字とかが好きだったんだよ」

Tは思いもかけぬことを言う。だって学内において、僕は名だたる悪筆家として通っている。T自身、「不思議なんだけどね」と言って笑った。彼にとって、僕は授業の中身そのものより、字とか、話し方のほうが印象に残っているのだそうだ。

「先生はみんな、個性を尊重しなさいって言うけど、実は上から目線でモノを言うやつもけっこう多いんだよね。ゲッチョはその点、謙虚かな。あと、ゲッチョは楽しそうなことをやっていても、おしつけがましくない。自分がやっている楽しそうな話をすることができても、他人《ひと》の話が聞けない人もいるでしょう。まあ、ゲッチョは自分が迷っているのをさらけだしてて、それが人間っぽく感じたね」

そんな話をしてくれる。翌日、講演会とフィールドワークを終えたあとの打ち上げの席で、Tが僕の紹介を含めて挨拶をする。

自分は高校時代、生涯つきあえる恩師に出会って、その人がこうやってここまで来てくれたと。ぐっとつまってしまった。

学校という同じ場にいても、教師と生徒では別の風景を見ている。Tがどんな思いで入学し、日々、学校生活を送っていたのか、僕はこの日まで本当のところはわかっていなかったし、今もほとんどはわかっていないと思う。しかし、Tのように、卒業した生徒と再会を果たすことがあるのは、同じ時を過ごした場で、やはり何らかの共有できたものがあるからだろう。

僕がTと再会を果たしたのは、僕が彼の理科の授業を担当したことに端を発している。少なくとも、その理科の授業は、彼にとって「イヤな時間」ではなかったはずだ。それは、悪戦苦闘しながら、僕がモノにこだわった理科の授業をやっていきたいという思いをもっていたからではないかと思う。むろん、その思いには、これまで書いてきたように、父である盛口襄の影響が強くある。だから、煎じつめれば、かつて教室で教えた卒業生と、時を経ても結びつきが続くのは、父の教えの結果だといえる。

父が亡くなり、父と直接話すことはできなくなったが、父の遺した文章を読み返し、父と対話をしなおしている気になる。それだけでなく、知らず知らず、僕の中にも父の「かけら」のようなものが潜んでいることに気づく。僕自身は、自分の中の何が父の「かけら」であるかは、はっきりつかめない。しかし、かつて教室で教えた卒業生と再会するとき、僕は自分の中にある父の

「かけら」を意識する。

生きるとは、物語を紡ぎ続けること。父の一生もまた、物語だ。
コスパで語られる学びのほかに、モノに寄り添い物語を紡ぐ学びがある。
僕は、そう思っている。

エピローグ　受け継がれる「かけら」

卒業式。わいわいと授業で思ったことを口にしてくれた、ゼミ生のカリンやショウノスケ、ミレイたちが社会へと旅立ってゆく。式典が終わっても、あちこちかけずりまわっていたら、彼女・彼らが僕を探し出して呼び止める。何事かと思ったら、卒業にあたって、僕にプレゼントをくれるという。袋を開けると、中には大きなヘビのぬいぐるみと、パーカーが入っていた。ヘビのぬいぐるみには苦笑してしまうが、パーカーはありがたい。いつもぼろぼろの服を着ているので、こんなふうに気を使わせてしまったことが申し訳ないけれど。

それからしばらくして、今度はノリから電話がかかってきた。

「ゲッチョ先生、理科の授業をやるので、骨とかを借りに行きたいんですけど」

電話口から、そんな声が聞こえてくる。

かつて平和教育を卒業研究のテーマに選び、カリンたちより一年前に卒業したノリは、小学校の現場で働いている。聞くと三年生の担任だという。学年末、少し時間に余裕があるので、理科の時間に、教科書を離れて、自分の好きな授業をやってみようと思うんです、とノリが説明する。

「どんな骨を借りたいの?」

「魚の骨。あと、シーラカンスの魚拓とか」

これを聞いて、「ああ」と僕は思った。

僕のゼミでは、この一〇年ほど、三年生を引き連れて、毎年、石垣島に出かけている。沖縄県には僕の勤務している沖縄大学のほかに、いくつも大学はあるけれど、いずれも所在地は沖縄本島だ。沖縄本島の南に位置する石垣島には、高校は三つあるけれど、大学はない。だから島の若者は高校を卒業すると、進学や就職で、その多くは島を離れてしまう。

その石垣島に、地域の自然や文化を守るために活動している「夏花(なつぱな)」というNPO法人がある。島の子どもたちは一度、島を離れると、いつ島に戻るかわからない。だから小中学生のうちに、島の自然や文化の大切さをいろいろと体験してもらい、将来、島に戻って、自然を守り、文化を継承していく大人になる下地をつくろう、というのが活動の目的だ。

その「夏花」の主催する子どもキャンプに、僕らのゼミは手伝いとして関わっている。ただ、キャンプの手伝いだけではもったいない。僕の大学のゼミ生は教育が専攻だから、キャンプの中で「島の自然や文化」に関わる授業を毎年二つ、三つ行う、ということをさせてもらっている。キャンプで授業というのも、なんだか変な取り合わせのように思われそうだが、毎年続けているうちに、島の子どもたちも、それを当たり前のこととして、そして、楽しみなこととして受け止めてくれるようになっている。ただ、せっかくの機会なのだから、普段、学校で受けているような授業をしてもつまらない。そこで、実際にキャンプに出かけるまで、ゼミ生とともに、ああだ、こうだと授業案をつくりこむのが、これまた毎年恒例の僕のゼミの活動だ。

理科専攻の僕のゼミに、平和教育の卒論をテーマとする学生がいるように、石垣島のキャンプの授業づくりも、学生たちにテーマを考えさせると、僕が考えつかないようなテーマを思いつくので、とてもおもしろい。それぞれの学生は、自分の興味・関心でテーマをひねり出す。そのテーマをどう授業として組み立てていくのかに、僕もあれこれ口を出すわけだ。

ノリはゼミ生のとき、石垣島での授業づくりを考えて「魚の授業をやりたい」と言い出した。なぜかといえば、ノリは魚釣りが趣味だからだ。魚をテーマにどんな授業をつくろうか。せっかくだから、「先生」が話をするだけでなく、「生徒」が参加できるような工夫がほしい。実物も何か見せられないか。そうして僕らが考えたのが、魚の骨を使いながら、魚の進化を考えるという授業だった。

当日。

「センセイが住んでいるのは、沖縄本島の南部の海の近くです。だからセンセイは魚が大好きで、なので今日は「魚」についての授業をします。ところで、みんなのなかで、水の中でペットを飼っている人はいますか？」

ノリが授業を始めた。

「ミーバイ!」

授業に参加している小学生の一人から、さっそくそんな声があがる。ミーバイというのは、沖縄で、海産の食用魚ハタの仲間を指す呼び名だ。しかし、ミーバイをペットとして飼っている?

「いけすにいるよ。あと、グッピーも飼っている」

この子のうちは、漁師のようだ。

「アロワナ飼っている」

「金魚とグッピー」

いろんな声が返される。

「けっこう、グッピーを飼っている子が多いんだね。さて、これから紙を配るので、なにも見ないで、魚の絵を描いてくれるかな」

ノリは続けて、こう言った。子どもたちはさっそく紙の上にさまざまな魚の絵を描きだす。授業を始めるにあたって、子どもたち自身に、魚のことをどれだけ知っているのか、気づいてもらうための問題だ。特にひれが描けているかどうかが、授業のポイントになっている。子どもたちの描いた魚の姿はさまざまだ。尾びれはどの絵にも描かれている。背びれもほとんどの子が描いている。胸びれも、まあまあ描かれている。ただし、腹びれまで描きこんだ子はなかなかいない。

ヒトも先祖をたどれば魚の時代があったというのは、みな、なんとなく聞いた覚えのあることだろう。つまり、先祖を共にしているため、ヒトと魚の体には共通点がある。例えばヒトの手は、元は魚の胸びれだ。では、ヒトの足にあたるのは？　それは魚の腹びれなのだ。ヒトの体を描くときに、足を描き落とすことはないけれど、魚の絵を描こうとすると、腹びれをつい、描き落としてしまう。それは、魚の体のつくりを、進化の歴史という観点で見ていないから。

ノリは授業の中で、さまざまな魚の骨の標本や、シーラカンスの魚拓を見せながら、魚がどんなふうに進化していったのかを、クイズも交えて説明していった。そして、ひれに注目すると、普段見ている魚も、原始的な形態を残している魚なのか、より進化した姿となった魚なのかを見分けることができるんだよ、と授業を進めた。

夜の理科室に、小学校での授業を終えたノリがやってくる。

「はい、これ、シーラカンスの魚拓」

「ありがとうございます。あと、魚の骨もありますか？」

「うん、あるよ。この容器の中に入っている」

「タチウオ、シイラ、アンコウ……がありますね」

「そうそう。こっちはブダイだね。この容器ごと貸しておくよ」

ノリとしばらく会話を交わす。授業が終わったら標本を戻しに来るというので、そのとき子どもたちの様子がどうだったかを教えてね、と頼んでおく。

何かの折に、こうして僕のところに教材を借りに来る卒業生がいると、とてもうれしくなる。

彼らのなかに、たとえ小さくとも、僕から受け渡した「かけら」が存在しているように思うから。

＊＊

本書の執筆は、編集の猿山直美さんから、「教育に関わることを書いてみませんか」というお誘いを受けたことに端を発している。どんな話を書いたらいいか、最初は迷ったのだけれど、やがて骨を使った授業と、そうした授業をつくり出すもととなった父の影響について書いてみよう、と考えがまとまった。そうした原稿を書き上げ、校正のやりとりを始めてから、僕は猿山さんが、父の書いた『実験大好き！　化学はおもしろい』（岩波ジュニア新書、二〇〇三年）の編集を担当されていたことを知った（ひょっとすると、それ以前にお話を聞いていたのかもしれないが、なにしろ記憶力が悪いのでまったく覚えていなかった）。猿山さんもまた、父から何かしらの「かけら」を受けとっている一人であったからこそ、僕の本を手掛けようと思ってくださったのではないかと思う。そのようにしてできあがったこの本から、いずこかに、また、新たな「かけら」がまかれたらいいなと思っている。

二〇二一年三月

盛口　満

窓

盛口　襄

ベッドの上から　あてもなく
空を見上げていたら
空の中程に「小さな窓」が開いていたのだ

そこからしずかな光がさして
僕のベッドにふりそそぐのであった
ア　とうとう開いたのか僕の「無(死)」の窓

「死は陰鬱」と云うかもしれない
しかし「無」は晴朗　すんだ透明
中はしいんとして　只やさしい光

やがて僕は溶けこむ「やさしい光」
そうでもしないと天国手狭
世界六〇億の「死」はとうてい入りきれぬ
夕方までみていたが僕の「窓」は閉じなかった
あと一日で最初の手術前日
僕は静かな寝息で　今日を眠る

参考文献

アルケミストの会編 1982『化学と教育——その実践』地歴社
池田和子 2012『ジュゴン——海の暮らし、人とのかかわり』平凡社
伊沢正名 2014『くう・ねる・のぐそ——自然に「愛」のお返しを』ヤマケイ文庫
伊沢正名(写真・文)・山口マオ(絵) 2013『うんこはごちそう』農文協
イリーン 1963「燈火の歴史」『世界教養全集 30』平凡社
小野蘭山 1991『本草綱目啓蒙 3』東洋文庫
貝原益軒(白井光太郎・矢野宗幹ほか考註) 1992『大和本草』有明書房
柴田宵曲編 2008『奇談異聞辞典』ちくま学芸文庫
島袋源七 1951「沖縄における寄物」『民間傳承』15(7): 8–14
竹内敬人 2010「ファラデー——人と生涯」『ロウソクの科学』岩波文庫
館山市史編さん委員会編 1971『館山市史』館山市
谷川健一 1974「動物民俗誌——人面魚体のもの言う魚」『アニマ』2(5): 44–49
田畑淳 2018「新十二支考——亥:まるで十徳ナイフ」『歯界展望』132(3): 647–653
寺嶋良安(島田勇雄ほか訳注) 1987『和漢三才図会 7』東洋文庫
名護市史編さん委員会編 2001『名護市史・本編 9——民俗 I 民俗誌』名護市役所
名護博物館編 1994『ピトゥと名護人』名護博物館
西村三郎 1981『地球の海と生命——海洋生物地理学序説』海鳴社
西脇昌治・内田詮三 1977「沖縄のイルカ漁」『琉球大学理工学部紀要 理学編』(23): 51–56
疋田努 2002『爬虫類の進化』東京大学出版会
ファラデー 2010『ロウソクの科学』岩波文庫
平安座自治会編 1985『故きを温ねて——平安座自治会館新築記念』平安座自治会
星野道夫 1995『旅をする木』文藝春秋

宮正樹 2016『新たな魚類大系統』慶應義塾大学出版会
村山司編 2008『鯨類学』東海大学出版会
盛口襄 1984『高校化学教育――その視点と実践』新生出版
盛口襄 1991『ダイヤモンドはつくれるか？――物質世界の探検』労働旬報社
盛口襄 1994『いま、プラスチックが新しい――どこまで知っている？ 身近な素材』ポプラ社
盛口襄 2003『実験大好き！ 化学はおもしろい』岩波ジュニア新書
盛口襄・広瀬洋一 2011「燃焼炎を用いたアミノ酸の合成」『東海大学紀要工学部』51(1): 59–62
盛口満 2003『ジュゴンの唄』文一総合出版
盛口満 2011『僕らが死体を拾うわけ――僕と僕らの博物誌』ちくま文庫
盛口満・安田守 2001『骨の学校――ぼくらの骨格標本のつくり方』木魂社
盛本勲 2014『沖縄のジュゴン――民族考古学からの視座』榕樹書林

Ineich, I. et al. 2017 *Indotyphlops braminus* (Daudin, 1803): distribution and oldest record of collection dates in Oceania, with report of newly established population in French Polynesia (Tahiti Island, Society Archipelago), *Micronesica* 2017-01: 1–13
Omura, H. et al. 1955 Beaked Whale *Berardius bairdi* of Japan, with Notes on *Ziphius cavirostris*, *Sci. Rep. Whales Res. Inst*. 10: 89–132
Santos, M. B. et al. 2001 Feeding ecology of Cuvier's beaked whale (*Ziphius cavirostris*): A review with new information on the diet of this species, *Journal of the Marine Biological Association of the UK*, 81 (04): 687–694
Schorr, G. S. et al. 2014 First long-tern behavioral records from Cuvier's beaked whales (*Ziphius cavirostris*) reveal record-breaking dives, *Plos One*, March 2014, Vol. 9, Issue 3, e92633
Whitmore, Jr., F. C. et al. 1977 Steller's sea cow (*Hydrodamalis gigas*) of Late Pleistocene age from Amchitka, Aleutian Islands, Alaska, *Geological Survey Professional Paper* 1036

盛口 満

1962年，千葉県生まれ．通称「ゲッチョ」．千葉大学理学部生物学科卒．自由の森学園中学校・高等学校理科教員，NPO法人珊瑚舎スコーレの講師を経て，現在，沖縄大学人文学部教授，沖縄大学学長．
著書に『めんそーれ！ 化学』(岩波ジュニア新書)，『僕らが死体を拾うわけ』(ちくま文庫)，『生き物の描き方』『琉球列島の里山誌』(東京大学出版会)，『天空のアリ植物』(八坂書房)，『ぼくのコレクション』(福音館書店)，『ひろった・あつめた ぼくのドングリ図鑑』『くらべた・しらべた ひみつのゴキブリ図鑑』(岩崎書店)，『ゲッチョ先生のトンデモ昆虫記』(ポプラ社)，『集めてわかるぬけがらのなぞ』『食べて始まる食卓のホネ探検』(少年写真新聞社)，ほか多数．

ものが語る教室 ジュゴンの骨からプラスチックへ

2021年5月28日　第1刷発行

著　者　盛口《もりぐち》 満《みつる》

発行者　岡本 厚

発行所　株式会社 岩波書店
〒101-8002 東京都千代田区一ツ橋2-5-5
電話案内 03-5210-4000
https://www.iwanami.co.jp/

印刷・理想社　カバー・半七印刷　製本・中永製本

ISBN 978-4-00-006338-8　　Printed in Japan